D0708391

ON NE REGARDE PAS LES GENS COMME ÇA

De la même auteure chez le même éditeur :

L'œil de verre, nouvelles, 1993 (2001).
Voyages et autres déplacements, nouvelles, 1995.
Le cri des coquillages, nouvelles, 2000 (2004).

À La courte échelle :

Les habitués de l'aube, roman jeunesse, 1997.
Le plus beau prénom du monde, roman jeunesse, 1999.
C'est la vie, Pitchounette, roman jeunesse, 2000.
Tu rêves, Pitchounette ?, roman jeunesse, 2002.

Chez d'autres éditeurs :

Réflexions, photographies de Véro Boncompagni avec des mots de
    Sylvie Massicotte, Les 400 coups, 1996.
Au pays des mers, récit, Leméac, 2002.

SYLVIE MASSICOTTE

On ne regarde pas les gens comme ça

nouvelles

L'instant même

Maquette de la couverture : Anne-Marie Guérineau

Illustration de la couverture : Véronique Vézina, *Chute libre* (détail), 2003, acrylique sur toile (16 cm × 17 cm)

Photocomposition : CompoMagny enr.

Distribution pour le Québec : Diffusion Dimedia
539, boulevard Lebeau
Montréal (Québec) H4N 1S2

L'instant même
865, avenue Moncton
Québec (Québec) G1S 2Y4
info@instantmeme.com
www.instantmeme.com

Dépôt légal
Bibliothèque nationale du Québec, 2004

Catalogage avant publication de la Bibliothèque nationale du Canada
Massicotte, Sylvie, 1959-

On ne regarde pas les gens comme ça

ISBN 2-89502-113-9

I. Titre.

PS8576.A706O5 2004   C843'.54   C2004-940003-7
PS9576.A706O5 2004

L'instant même remercie le Conseil des Arts du Canada, le gouvernement du Canada (Programme d'aide au développement de l'industrie de l'édition), le gouvernement du Québec (Programme de crédit d'impôt pour l'édition de livres – Gestion SODEC) et la Société de développement des entreprises culturelles du Québec.

À Pierre,
Quelques personnages en chute libre

*Je relève ma robe, je la passe
par-dessus ma tête dans laquelle la douleur
cogne. À travers les mailles du tissu les lumières
de la ville scintillent comme des petits points, des
étoiles proches. Mes paupières tombent.*

Hugo CLAUS,
Le dernier lit.

La coloriste

Il a l'air étourdi, à la fois par les odeurs fortes de teinture, le souffle bruyant des séchoirs et les basses de la musique de fond. Il n'a pas l'habitude. Mais cela viendra. Cela viendra, se répète la coloriste lorsqu'elle entoure les larges épaules du client avec la cape de plastique noire.

« Batman... », commente-t-il, amusé, en cherchant une réaction dans le miroir.

C'était pour rire de lui-même, de crainte que quelqu'un d'autre ne le fasse. Mais elle n'a pas entendu. Sinon, elle aurait souri, bien sûr, même si cette blague lui a été faite maintes fois.

Il lance d'une voix qui se veut assurée : « Je voudrais comme la dernière fois. » La coloriste se rappelle que la dernière fois était la première. Elle aurait parié, ce jour-là, qu'il s'apprêtait à aller rencontrer une éventuelle âme sœur après avoir fait paraître une petite annonce. Elle le regarde et, du même coup, évalue ce qu'il reste des mèches qu'elle lui avait teintes. Il renchérit, un sourire en coin : « C'était un vrai succès ! » Elle rit, saisit une fiche de carton bleu entre ses ongles peints et lit ses notes. Ensuite elle demande à son assistante « du RR6 avec un pouce d'accent rouge aux deux ». Elle s'excite, mais pas le client.

« Ne vous inquiétez pas! dit-elle. Je vois très bien ce que nous allons faire aujourd'hui. Ce sera encore mieux que la dernière fois, vous verrez. »

Il ne se souvient pas bien des étapes : coups de pinceau qui pue, papillotes d'aluminium lui faisant une tête en escalier, comme s'il avait des tablettes de chocolat à chaque palier, rinçage, séchage, coupe, séchage... Dans quel ordre exactement ? En tout cas, il sait que ce sera interminable. Au point qu'il a eu du mal à se décider à revenir. Mais avait-il le choix, à présent qu'il est pris dans l'engrenage ? Il ne pouvait tout de même pas rester avec des cheveux aux pointes de plus en plus délavées.

« Vous avez mis suffisamment d'argent dans votre parcomètre ? » vérifie la coloriste qui s'apprête à commencer le travail.

Le jeune homme répond qu'il a tout prévu, absolument tout.

Elle plonge les doigts dans ses cheveux qu'elle ébouriffe pour mieux s'inspirer. Puis, en questionnant le grand miroir :

« Il faudra aller remettre des sous dans deux heures... »

Il ne l'écoute pas. Il fixe simplement sa drôle de tête en attente. Difficile d'examiner son propre reflet dans la glace en présence d'autres personnes. Surtout de femmes. « Des femmes et des gais », s'était-il dit en entrant dans ce salon, la première fois. Puis il avait vu des hommes plus habitués que lui aux changements de tête. Ils avaient parlé tout naturellement de leur femme et de leurs enfants, c'était rassurant. Aujourd'hui, ils sont moins nombreux. Trop occupés, suppose-t-il au moment où son téléphone cellulaire sonne dans sa poche. Il cherche à l'attraper, sous la cape.

« Allez-y ! » autorise la coloriste.

S'il est difficile de se détailler dans la glace devant témoins, il est encore plus embêtant de déterminer les semaines de garde des enfants avec son ex-femme. Il demande s'il peut la rappeler, prétend qu'il est en réunion. Pourvu qu'elle n'entende pas les séchoirs et la musique de fond. Il rosit. La coloriste agit comme si elle n'entendait pas. Elle commence à discuter avec le coiffeur de la manière dont elle appliquera les couleurs pour mieux faire ressortir les yeux du client, mettre en valeur la carrure de son visage imberbe. Mais ils ne disent pas imberbe. Ils le pensent, seulement. Et le jeune homme essaie de rompre la communication. Plus son ex-femme cause, plus c'est embarrassant.

« Tu n'es pas au travail, lance-t-elle au moment où il ne s'y attend plus.

– Bien sûr que si, rétorque-t-il. Et puis qu'est-ce que cela peut te faire ? »

Un silence se tisse autour de lui.

« Allez, je te rappelle ce soir, veux-tu ? »

Non, elle ne veut pas. Parce que ce sera l'heure du souper, ensuite celle des devoirs et du bain. Et ensuite ? Ensuite, elle voudra la paix. Il peut comprendre ce que signifie vouloir la paix ?

L'un des deux a raccroché. Ou les deux. De toute façon, il éteint son téléphone qu'il camoufle aussitôt dans sa poche. Il attrape une revue qui propose aux femmes des tests pour connaître leur degré de sex-appeal. Il lit en diagonale, il soupire. L'assistante lui offre un café qu'il accepte. Il referme la revue, observe les doigts agiles de la coloriste qui fabrique des papillotes avec les cheveux. Il essaie d'imaginer sa vie. La fois précédente, il l'a entendue parler des films qu'elle aimait visionner, seule chez elle avec son chien à ses pieds. Il n'est pas arrivé à se figurer la bête. Un petit ou un gros chien ? À poils ras ou longs ? Sûrement longs. Il ne se rappelle plus la race étonnante qu'elle avait mentionnée. En tout cas, il avait réussi à se la représenter, elle, allongée sur un canapé aux couleurs chaudes, devant la télé. Elle avait aussi raconté qu'elle se préparait toujours un gros bol de maïs soufflé lorsqu'elle s'installait ainsi, devant les films qu'elle avait loués. Il se prend à rêver d'une soirée avec elle. Il ajouterait simplement un peu de beurre fondu au maïs soufflé et ils seraient si bien...

Elle lui demande s'il a essayé le restaurant qui vient d'ouvrir et dont le coiffeur et elle ont causé tout à l'heure. Il ne connaît pas. Elle semble déçue, mais cela ne dure pas. On dirait que rien ne dure, pour cette coloriste. Même pas les couleurs qu'elle applique.

« J'y vais ce soir. C'est l'anniversaire de mon amoureux.

– Je croyais que vous viviez seule.

– C'est vrai. On ne vit pas ensemble. »

Ses gestes sont plus brusques. Elle lui a plié une oreille et il n'a pas aimé.

« Et vous lui faites subir ce traitement, à votre amoureux ?

– Encore pire ! »

La coloriste et son assistante rient en chœur. Il a l'impression de rire avec elles, mais dans le miroir il voit ses lèvres se retrousser vers la droite, mais pas à gauche. Il rit d'un seul côté du visage. Est-ce du côté du cœur ? Avec les miroirs, on ne sait plus. C'est comme avec les femmes.

« On ne sait plus, avec les femmes ! commente-t-il.

– Avec les hommes non plus, on ne sait plus... », répond la coloriste sur un ton plutôt grave.

Elle disparaît et c'est l'assistante qui installe le robot chauffant à ses côtés. Malgré lui, il se sent en pénitence pour quelque chose qu'il n'aurait peut-être pas dû dire. Autant à son ex-femme qu'à la coloriste. L'accélérateur de coloration lui paraît trop chaud, mais il ne le dira pas. Il subira son enfer.

Il saisit mal les conversations, avec le léger cliquetis des papillotes contre ses oreilles et tous les bruits de fond. Mais il observe le mouvement des lèvres, les expressions. La coloriste qui installe une cape noire, identique à la sienne, sur les épaules voûtées d'une brunette à la repousse complètement grise. Il aperçoit le coiffeur qui se prépare un chocolat chaud, en catimini. Il comprend que certains hommes aiment les hommes, que les coloristes créent des couleurs qui ne durent pas, mais qu'elles s'appliquent tout de même à bien faire les choses. Un peu comme on aime en admettant que ce ne soit pas pour toujours.

Le séchoir s'arrête. Les voix lui parviennent mieux. La brunette, dont on ne sait plus si elle est vraiment brune, exprime son dégoût pour les viandes préparées en conserve. Son mari en raffole à cause de ses souvenirs de jeunesse, de camping avec les copains. La coloriste fait la grimace. Elle confie qu'elle et son amoureux ont des goûts qui diffèrent sur pas mal de choses, mais pas sur le plan de l'alimentation, heureusement. Le client se demande si elle partage maintenant ses bols de maïs soufflé avec l'amoureux ou si cela demeure un plaisir solitaire. Il se demande également si ses relations amoureuses durent plus que le temps d'une coloration. L'assistante l'entraîne au lavabo. Elle lui explique que, pour mieux conserver la couleur, un lavage à l'eau froide est idéal. Cela permet aux cuticules du cheveu de se refermer. Il sent l'eau glacée lui couler sur la tête. C'est d'une grande violence après la chaleur du séchoir. Il ne dit rien tandis qu'elle continue de parler. L'eau glacée le fait maintenant frissonner de la tête aux pieds, il a envie de crier. Elle répète le mot « cuticules » avec insistance. On croirait à un exercice de diction. Il n'en peut plus.

« Vous savez, avoue-t-il, je me fous un peu des cuticules. »

Elle a reculé d'un pas et a plongé ses yeux très maquillés dans les siens :

« Qu'est-ce que vous dites ? »

La coloriste, qui vient de caser la brunette près d'une pile de revues de mode, s'approche d'eux.

« Je vais continuer ! Tu peux aller manger. »

Elle règle la température de l'eau et commence à masser le cuir chevelu du client qui s'apprête à dire quelque chose. Il cherche ses mots, finit par avaler sa salive en fermant les yeux. Elle masse en profondeur et, régulièrement, secoue ses mains comme si elle jetait un à un les tracas de la journée au fond du lavabo. L'homme se détend, sa tête s'alourdit au creux des mains gantées. Des parfums le transportent dans des jardins exotiques. Lorsqu'il entrouvre les yeux, il obtient un gros plan de la peau de la femme, de ses bras, à quelques centimètres de son nez. Ses grains de beauté. Ses poils blonds. Puis une goutte d'eau dans l'œil le force à plisser les paupières.

Elle ferme les robinets. Il se redresse. Avec une serviette moelleuse elle lui éponge les cheveux. Il redevient un enfant à la sortie du bain. Il lève la tête vers elle, reconnaissant, mais elle est déjà ailleurs.

L'heure du thé

Je cours, du matin au soir et parfois même la nuit. Antoine s'accroche à mon col de fourrure synthétique, il crie « maman ! » comme si cela pouvait m'arrêter. Et mon téléphone cellulaire qui sonne, et l'ourson qui tombe dans la neige sale. Maman...

Tu verses le thé d'un geste qui tremble. La même théière depuis mon enfance. Le thé qui fume, maman, je respire. Il n'y a que chez toi que je peux prendre de telles inspirations. Mais je bloque aussi la respiration, à certains moments, au lieu de parler. Tu ne comprendrais pas tout ou tu comprendrais trop. Cet après-midi, tu voudrais bien que ce soit moi qui comprenne. Je consulte ma montre. Je n'ai pas beaucoup de temps. Antoine, la garderie qui va bientôt fermer...

Déjà que pour venir j'ai annulé deux rendez-vous, tu devrais te réjouir, maman, mais tu ne te réjouis pas. Tu plisses le front en me tendant une tasse fumante. Celle de papa, l'as-tu remarqué ? Ou tu as oublié... Tu dis qu'il fait froid aujourd'hui, plus froid qu'hier, où veux-tu en venir ? Je suis pressée, tu sais. Tu ne joues pas au bingo cet après-midi ? Tu hoches la tête. Tu souhaitais me voir. Je suis venue. Et tu iras avec tes amies, après ? Tu fais encore non de la tête. Têtue, maman. Toi aussi.

17

Là-dessus, on se comprend. On se tolère. Là-dessus. Nos têtes dures qui se ressemblent.

Pendant que tu vas chercher le sucre, j'interroge ma boîte vocale. « Tu pitonnes encore... », marmonnes-tu en revenant à table avec le vieux sucrier qui tient le coup, malgré les ans. Tenir le coup. Oui, je pitonne encore... « Vous pitonnez vrai, les jeunes, vous ne faites que ça ! » ajoutes-tu. Je ne proteste pas. Discrètement, je jette un œil sur ta télécommande, puis sur la grosse télé encastrée dans ton meuble de style colonial. Le four à micro-ondes et le reste, tu n'y échappes pas, maman, tu pitonnes, toi aussi, mais je ne le dis pas. Sinon, on n'en sortirait plus et il faut d'ailleurs que je sorte. Dehors. Dans le plus froid qu'hier.

Tu me demandes de faire attention de ne pas me brûler, mais j'avale quand même quelques gorgées de thé bouillant parce que, bientôt, enfin là, tout de suite, je dois m'en aller. Je consulte ma montre, encore. Tu feins de ne pas remarquer. J'insiste :

« La garderie. Antoine doit commencer à me réclamer.

– Il ne réclame pas son père, des fois ?

– Ce n'est pas sa semaine, maman. »

Je me demande ce que tu veux. Dis-le. Vite. Même si tout est plus lent pour toi. Tes gestes, ton débit, ton temps à toi, ta saison. Fais vite, pour une fois !

« C'est plus froid qu'hier, répètes-tu. Il neige. Les rues doivent être glissantes.

– Tu as raison. Et ce sera plus long avant d'arriver à la garderie. »

J'imagine déjà les rues, les lumières clignotantes, j'entends les klaxons. Antoine qui hurle mon nom en lançant son toutou aux pieds d'une éducatrice épuisée.

« Maman, il faut que je parte.

– Attends un peu ! Prends le temps. »

Prendre le temps... Il n'y a que toi pour dire une chose pareille. Je répète malgré moi :

« Prendre le temps...

– Quoi ? Vous ne dites plus ça ?

– On ne *fait* plus ça. »

Le thé m'a mise en confiance, tu vas maintenant me surprendre, me saisir, me blesser, je sais, je sais que je ne suis pas venue pour rien, en plein après-midi, à l'heure du thé, à l'heure où d'habitude tu joues au bingo et à l'heure où j'aurais dû travailler. Je ne suis pas venue pour rien, tu vas m'annoncer que tu as vu le médecin, que tu n'en as plus que pour quelques mois, raconte-moi ce qu'il t'a dit, brise-moi tout de suite, n'attends plus ! Je suis pressée, mais j'aurais encore quelques secondes pour réagir, absorber le choc, le trop, éprouver le malaise et me ressaisir, me rendre à l'auto, rejoindre Antoine. Maman, dis-le ! Tiens, je vais t'aider :

« Tu as vu ton médecin ? »

Tu t'étonnes :

« Tu trouves que j'ai l'air malade ? C'est plutôt toi qui es un peu pâle. Tu travailles trop. Tu cours tout le temps... »

Le médecin, quelle idée ! Bon. Tant mieux s'il ne s'agit pas de cela. Mais depuis quand me réclames-tu en semaine, en plein après-midi ? Ce n'est quand même pas une fantaisie de ta part. Tu ne commenceras pas cela. Tu ne commenceras pas ces manies de mères possessives qui veulent nous prendre le temps. Prendre le temps, c'est bien ce que tu as dit. Tu ne vas pas voler le mien en dehors des anniversaires, des Noëls et des dimanches. Tu ne vas pas commencer cela, maman, même si je voudrais bien faire une pause, parfois, m'envelopper dans ton grand châle de mohair sur le canapé pendant que tu ronflerais dans la pièce à côté. Ou me remettre à jouer aux poupées de papier sur le tapis, prêter des voix aux personnages en chuchotant et courir te réveiller quand tes ronflements ressembleraient trop à des grognements d'ogres méchants. Je voudrais parfois m'y remettre, aux jeux, aux poupées de papier et à la Barbie, puis non. Pas toi tous les jours. Maintenant, c'est Antoine tous les jours. Antoine qui grogne, à son tour, avec ses jouets qui se métamorphosent, ces objets aux formes géométriques, ces bêtes de plus en plus bizarres qu'il commence à affectionner.

« Antoine, maman. Il faut que j'y aille.

– J'ai eu une idée... », annonces-tu enfin.

Tes idées, maman, quelquefois elles sont si bonnes. Mais depuis que tu es seule, tu en as de drôles. Le testament que tu changes tous les mois. L'appartement minuscule que tu recherches quand tu as envie d'élaguer, comme tu dis. Le sucrier, la théière, les quelques tasses qui restent. Heureusement, tu restes. Je ne prends jamais le temps de te le dire, c'est vrai, je ne prends jamais le temps de t'avouer que j'apprécie que tu restes. « Reste encore », je souffle, en déposant un baiser au milieu de ton pli sur le front qui disparaît aussitôt sous mes lèvres. Tu voulais de la tendresse, maman, c'est tout. Mais ton idée, à propos ?

« J'ai gagné au super bingo, lâches-tu.

– C'est ce que tu voulais m'annoncer ?

– Et puis, j'ai eu une idée... »

Tu te diriges vers le grand buffet sur lequel tu as disposé toutes les photos d'Antoine à côté de celles de ton mariage et de ma tête de jeune diplômée, puis tu reviens avec une pochette cartonnée que tu me tends. Un soleil imprimé dans le coin droit, un soleil comme Antoine en dessine souvent.

J'ouvre. Je palpe le billet d'avion. Tu vas t'en aller, maman ? Non... Tu restes. Et en ramassant ma tasse, tu parles d'un pays où les gens prennent le temps de vivre. Tu as pensé que je pourrais y aller, moi...

Tu t'éloignes avec les tasses vides. Ta voix me parvient, décidée, presque autoritaire :

«Je garderai Antoine.»

Combien la nuit

La mouche était à l'envers sur la table de chevet. Sur le dos. Je n'aurais pas dû la retourner. J'étais sur le côté, dans mon lit, je n'avais pas encore éteint, je l'ai vue. Non, je crois que je l'ai d'abord entendue se débattre, c'est ce qui a attiré mon attention. Ensuite je l'ai aperçue. Spontanément, je l'ai retournée dans le sens d'une mouche normale, les ailes au-dessus, le ventre en dessous. Je n'aurais pas dû parce que maintenant je n'en peux plus. J'ai éteint la lumière et l'ai rallumée pour voir si la mouche... Elle n'y était pas, mais je l'entendais. Je me suis dit peu importe. J'ai éteint. Peu importe, je l'entendais toujours. Encore maintenant. Je rallume et la lampe, j'en suis certaine, a un peu glissé sur la table quand je tâtonnais dans l'obscurité. J'ai rallumé, je n'entends plus la mouche. Se trouve-t-elle sous le socle, à présent ? L'aurais-je écrasée avec la lampe qui a bougé ? Quelle hypocrite donne sa chance à une mouche en la remettant sur ses pattes pour l'écrabouiller dans la minute qui suit ? C'est moi, qui soulève la lampe, il n'y a pas de mouche, peut-être que je n'ai pas bien regardé. Elle est probablement collée, aplatie sous le socle. Je soulève la lampe une fois de plus, la lumière m'aveugle et je ne vois pas en dessous, mais j'entends la mouche, alors elle n'est pas morte. J'éteins. Où est-elle ? Peu importe. Je me répète peu importe. Il vaut mieux répéter peu importe à l'infini plutôt que de commencer à compter des moutons. Je me dis cela et aussi peu importe. Je me dis que ce midi j'ai demandé si un lavage régulier comprenait une cire chaude pour l'auto et on m'a répondu que non, c'était à part. D'accord, une cire chaude en plus du lavage régulier. L'employé qui louche a répété un régulier avec une cire chaude. J'ai acquiescé. Il a crié plus fort pour l'autre avec le tuyau d'arrosage, il a ordonné un régulier avec une cire chaude pendant que je contournais une flaque d'eau sale et savonneuse en même temps. C'était sale et savonneux. Savonneux, on pense propre, mais cela peut aussi vouloir dire sale. N'est-ce pas ce que les religieuses racontaient, au couvent ? Peu importe. À l'infini, peu importe, c'est mieux que de compter des moutons savons. C'est mieux. La mouche s'est tue. Je me tourne sur le dos comme une fille normale dans son lit. Je fixe le plafond sans le voir et, peut-être, la mouche sans l'entendre. Puis je pense à ce moment où je me suis trouvée à la caisse du lave-auto, quand c'était fini et que le propriétaire a jeté un dernier coup d'œil à ma voiture avant d'ouvrir le tiroir-caisse en vérifiant: « Un régulier ? » J'ai ajouté: « ... Avec une cire chaude. » Et heureusement, j'ai questionné : « Vous avez bien mis une cire chaude ? » Il a élevé la voix pour couvrir le bruit de l'aspirateur, du tuyau d'arrosage et de la radio. Il a demandé: « Avec une cire chaude ? » Alors le type au tuyau d'arrosage a hoché la tête en disant : « J'ai oublié. » Il avait oublié. Dans ma tête, je l'ai mordu. J'avais pourtant précisé que je souhaitais un régulier avec une cire chaude. J'étais scandalisée. Le propriétaire m'a proposé : « La prochaine fois ? » J'ai balbutié : « La prochaine fois... Et puis je n'ai pas le choix, sinon il faudrait tout recommencer. » Il a conclu : « La prochaine fois ! » d'un air léger. Mais ce n'était pas léger du tout. Je me tourne sur le ventre. J'entends la mouche. Je mets l'oreiller par-dessus ma tête. Je n'entends plus, je ne vois plus. Je ne me souviens plus. Je me dis simplement qu'il faudrait fermer boutique dans ma tête. Sinon les religieuses s'y remettent. Celle qui m'avait lancé : « Ne montrez pas toute votre marchandise ! » Mes seins étaient de la marchandise, je n'y avais pas pensé, sur le coup, quand je m'étais penchée. Elle avait entrevu ma marchandise. Je ne comprenais pas. J'ai chaud, je retire mon oreiller. C'est comme si j'avais remonté le rideau de fer de ma boutique. La marchandise. J'ai une mouche à vendre. Combien ? Peu importe, achetez-la. Je n'ai pas supporté de la voir agoniser sur le dos. Est-ce qu'elle agonisait ? Pourquoi les mouches se retrouvent-elles sur le dos et moi sur le côté ? Pour les chats malades, sur le côté, c'est mauvais signe. Ça m'embête de ne pas avoir eu une cire chaude pour l'auto... J'allume et j'entends la mouche. Je regarde l'heure. Je voudrais me dire peu importe. Mais je travaille demain. Et ce n'est même pas demain, c'est dans quelques heures. J'aperçois la mouche. Je ne la cherchais pas. J'éteins, ne serait-ce que pour m'assurer qu'il n'y a pas encore de clarté naturelle, que je peux encore, je peux m'endormir même si j'ai retourné la mouche et n'aurais pas dû. Je peux m'endormir. Il s'agit de me dire peu importe. Une fois pour toutes, peu importe la cire chaude, l'incompétence, les mouches qui dansent, peu importe, peu importe à l'infini. Je n'aurais pas dû retourner la mouche. On ne retourne pas la marchandise. Surtout pas l'auto qu'on n'a pas enduite de cire. On ne réveille pas le chat qui... mort sur le côté... La mouche qui dort et moi qui mords. Peu importe... Peu importe... Il faut combien de peu importe pour empêcher le jour de se lever ?

Vol matinal

Je ramenais mes bras le long de mon corps, puis je les écartais, les rouvrais très grand pour les rabattre de nouveau. En même temps, mes pieds se rejoignaient. C'était comme nager. Le mouvement me propulsait de plus en plus haut. J'espérais continuer à m'élever. Mais une sonnerie insistante m'a sortie du sommeil. J'ai palpé le vide, les yeux collés. J'ai attrapé le combiné pour le ramener à peu près vis-à-vis de mon oreille. Les lèvres engluées, j'ai sans doute émis un *allô* assez faible avant d'entendre la voix. Une voix à la fois lointaine et familière.

Je finis par associer un visage à ce grasseyement semblable à celui de ma grand-mère décédée il y a quinze ans. Ma tante! Il y a si longtemps... Ne pas m'affoler, il ne s'agit pas d'une mortalité ni d'une mauvaise nouvelle, elle me rassure. Elle s'empresse d'expliquer qu'au fond il s'agit d'une petite pensée pour moi, qu'elle n'a pas pu s'empêcher... Me féliciter pour ce qu'elle a vu dans les journaux. La musique est une affaire de famille, je ne tiens pas des voisins, qu'elle me fait remarquer.

Je fixe la cage de l'oiseau, au bout du couloir. Je voudrais pouvoir retirer le tissu pour que Triolet se mette à chanter. Mais je reste allongée, au chaud sous des plumes d'oisillons inconnus, tandis que ma tante s'égosille. Il s'en passe, des choses. Mes cousines mariées, puis séparées, qui reconstituent des familles avec des hommes plus jeunes qu'elles. Avec humour, ma tante précise que l'un d'eux est bisexuel et m'assure qu'avec les enfants des uns et des autres, je ne m'y retrouverais plus.

Je ne savais pas qu'elle était à la retraite depuis autant d'années. Sa voix hésitante a peut-être de quoi s'harmoniser avec le visage de grand-mère. Elles se sont toujours ressemblées, toutes les deux. Je garde pourtant de ma tante le souvenir d'un corps jeune. Je revois ses jambes surtout, du temps où je n'étais pas plus haute que le banc de l'orgue sur lequel elle prenait place. J'observais la pointe de ses chaussures sur les pédales. Et ses chevilles, si fines. Ses jambes magnifiques ont peut-être enflé avec les années. Je réponds que je vais bien, mais ma voix chevrote comme si je m'étais fait surprendre en train de suivre de petites veines bleues éclatées sur ses tibias.

Les rayons du soleil glissent sur mon piano. L'eau des fleurs a jauni. Je devrais m'activer, mais je ne peux pas l'interrompre pendant qu'elle évalue la quantité de coupures de journaux rassemblées depuis le début de ma carrière. À son avis, s'il lui en manque, vraiment, c'est bien peu. Qu'est-ce qui aurait pu lui échapper ?

Avec mon index, j'écarte le rideau. Dans le ciel d'un bleu profond flottent ici et là des cumulus semblables à ceux que je dessinais pour elle quand j'étais enfant. Je n'écoute plus que la modulation de sa voix. Je revois dans ma tête les soleils ronds imparfaits et souriants que je lui offrais. Elle se tait, comme si elle contemplait le ciel avec moi. Le silence n'a pas de poids quand on observe les nuages. Je sens pourtant un malaise. Le sien. Il faudrait que je dise quelque chose. Mais que raconter à une tante qu'on n'a pas revue depuis des années, qui sait tout

de notre travail et rien du reste de notre vie ? Je me demande
d'ailleurs ce qu'est le reste de ma vie... Qu'y a-t-il d'autre que
des musiques parsemées de silences ?

« Je te dérange... Tu dormais, peut-être ?

– Je rêvais, ma tante. Je rêvais que je savais voler. »

Invitée

Tu n'as pas bronché. Entre tes doigts, le rideau immobile. Cette position que tu prends, comme une habitude, depuis que nous sommes ici. Mais il n'y a plus d'habitudes. Je répète, au cas où ma voix serait restée à l'intérieur de moi. Je fais un effort :

« Tu m'as invitée. »

Je fixe nos vêtements coincés dans la porte de la penderie qui, de toute façon, ne fermait pas juste. J'aurais envie de tout remballer. Retourner dans mon autre vie abandonnée brusquement. Un coup de tête. Partir.

Tu regardes la pluie tambouriner contre la vitre déformante. Dehors, ce pourrait être n'importe où. Tu te retournes, nonchalant. Tu allumes une cigarette.

« Il pleut », souffles-tu avec la fumée dans la chambre.

Le lit craque sous ton poids. Tu approches ta main de mes cheveux. Ton geste est tendre. Peut-être qu'on fera l'amour, que cela donnera enfin un sens au voyage. Tu m'aurais au moins invitée pour qu'on fasse l'amour...

« Il pleut », répètes-tu en fermant les yeux.

Tu vas rêver. J'examinerai le plafond un jour de plus.

« Le plafond est bas », dis-je.

J'aimerais marcher sous la pluie, avec toi dans un bel imperméable d'acteur. Un parapluie pour nous deux, tellement nous serions serrés l'un contre l'autre, parce que le voyage aurait un sens. J'aimerais acheter des objets inutiles, les rapporter à quelqu'un. Je ne sais pas à qui. Toi, tu saurais. Déjà, à la gare, tu as choisi une carte postale d'un endroit que nous n'avons pas visité. Qu'est-ce que tu écriras ? À ta place, je serais embêtée. D'ailleurs, tu n'as rien écrit. Même pas l'adresse. La carte traîne sur la table brune. Tu la glisseras dans une enveloppe par avion, dès que tu y auras inscrit quelque chose. Le prénom de quelqu'un d'autre. Des sonorités qui me feront mal si je réussis à lire. Je tente de décoder, sur ton visage, les pensées que tu caches bien. C'est un jeu. Un jeu de patience. Pour les avions, les trains. Pour la chambre d'hôtel quand il pleut.

« Oui, il pleut », dis-je en fixant le plafond jauni qui commence à goutter.

Tu dors peut-être. Je glisse la main sur ton pantalon. Tu n'as pas d'érection. Je chuchote à ton oreille :

« Tu m'as invitée. »

Tu ne sursautes pas. Tu ne dormais pas, mais tu rêves encore sans ouvrir l'œil. Je suis inutile comme cette carte qui ne vient pas tout à fait d'ici. Je suis une chose, une toute petite chose dans l'univers gris. Je voulais voir le monde. Je l'écoute battre sous ton chandail. Ton monde, ton secret qui bat. Ta machine infernale. Le plafond goutte sur la carte postale, c'est le ciel qui me tombe sur la tête. Je ne sais plus pourquoi j'ai tout quitté, pourquoi je suis là. Ici. Ton invitée, rappelle-toi.

Le cadeau

L e grand chien blond s'approche de Claude, sans se presser. Il n'aboie pas. Il renifle le bas de son pantalon, puis relève la tête avec douceur. Dans la boutique, un employé est occupé à composer un bouquet de roses. Il salue Claude avec un accent étranger.

Claude se demande ce qu'est devenue la femme âgée qui se trouvait là chaque fois qu'il s'est arrêté. Elle répondait patiemment aux questions sur l'usage et la provenance des objets qu'elle avait elle-même choisis. Elle n'y est pas. Le silence est opaque.

Le vieux plancher de bois craque sous les pas hésitants de Claude. Il ne sait trop ce qu'il va offrir à Léa pour son anniversaire. De quoi a-t-elle besoin sinon d'un homme assez patient pour vivre avec elle, d'amis plus disponibles et d'un peu de gaieté ? La gaieté, voilà une piste. Des fleurs ? Ce serait trop éphémère. Une plante demanderait des soins. Léa passe son temps à donner son amour aux autres, déjà. Les oiseaux faits main sont mignons, mais ils ne deviendraient pas autre chose que des attrape-poussière chez elle. Elle n'est pas assez contemplative. Elle est trop et pas assez, n'est-ce pas son problème ? Tant pour ses éventuels amoureux que pour ses amis. Trop et pas assez...

Immobile dans l'allée, il jette un œil à une horloge ancienne, très ornementée. Tient-elle le temps ? Impossible qu'il soit déjà quatre heures... Il consulte sa montre. Moins de deux heures pour se rendre à la fête et il n'a toujours pas de cadeau. Il pivote, se heurte au chien qui le suivait de trop près. Il aimerait que la bête puisse le conduire directement à l'objet idéal pour Léa. Il ne le dirait pas. Il ne dirait pas : « Léa, ton cadeau a été choisi par un chien. » Il considère ce gros toutou plein de bonté, se dit qu'il est sûrement là depuis l'origine de la boutique. Le chien se couche aux pieds de Claude.

Dispersés en demi-cercle sur une table, quelques cadres en étain. Au milieu, en étain également, un petit tournesol à ventouse... Il entend la voix de la femme âgée qui s'adresse au chien. Elle est là. Dans son visage, plus plissé que dans le souvenir de Claude, se dessine un sourire. Un sourire triste.

« Qu'est-ce que c'est ? demande Claude.

– Un capteur de soleil. »

Rien que le nom serait un cadeau pour Léa. Un capteur de soleil. Un capteur de gaieté. C'est ce qu'il lui faut. Et ce n'est pas trop cher. Il n'a pas envie de dépenser une fortune pour Léa. Plus envie, depuis pas mal longtemps. Mais la relation continue. Presque de force, c'est-à-dire qu'il n'y a jamais eu de raison ni d'occasion de la rompre. Les années passent. Léa téléphone, souvent à l'heure de l'apéro parce qu'elle s'ennuie. Elle cause un moment, questionne Claude, devient protectrice. Au sujet de son travail, de sa vie de quartier ou de sa vie amoureuse, elle est de son côté. Ce n'est pas désagréable. Le malaise, c'est juste avant qu'elle raccroche. Quand elle dit : « À bientôt. » Le « tôt » qui tombe de façon sourde, comme une larme dans un mouchoir. Chaque fois. Sa solitude à elle. Sa tristesse sans fond.

« C'est très beau, assure la femme d'une voix fatiguée. Vous collez le tournesol à une vitre et, normalement, au centre, il y a une sorte de prisme qui concentre la lumière du soleil... Mais quelqu'un a dû le prendre.

– Quelqu'un a piqué le centre ? Ça alors... C'est embêtant. Vous en avez un autre ?

– Non, il faudrait que j'en commande. Et ça va prendre du temps... »

Quelqu'un s'est emparé du bouton de tournesol. Il n'en revient pas. Un tournesol auquel il manque le cœur. Un sans-cœur.

Claude examine l'objet au creux de sa main. C'était si joli. Rien que le nom.

« Autrement, il y a des bougies, propose-t-elle en désespoir de cause.

– Ce serait un autre type de lumière... »

Il réfléchit. L'appartement de Léa est déjà bourré de chandelles. Il y en aura sûrement partout ce soir. Elles seront parfumées au jasmin, à la violette, à la mangue et à la vanille. Et Léa portera son parfum des grands jours. Ceux de ses amies pomponnées rivaliseront avec le sien. Il n'a pas envie. Ni des chandelles, ni des copines pomponnées, ni de Léa, il s'en rend bien compte. Il incline la tête et son regard croise celui du chien, plein de tristesse.

« Il m'arrache le cœur, ce chien, échappe-t-il.

– Le cœur... ? Vous croyez que c'est le chien qui l'a pris ? Non, ce sont des voleurs.

– Il n'est pas méchant, on voit bien, rattrape Claude.

– Il est très doux. Mais il nous faudrait un chien de garde, maintenant. Pour les voleurs...

– Il n'est sûrement pas gardien, en effet.

– Lui ? Il partirait avec n'importe qui ! »

N'importe qui, songe Claude. Malgré lui, il s'imagine disparaissant avec le chien pour l'offrir à Léa. Pour être gai, ce serait gai, comme cadeau ! Mais pauvre chien...

Claude recommence à déambuler dans les allées étroites de la boutique encombrée. Le chien s'assoit.

« Viens ! » lui ordonne la femme.

Claude les regarde s'éloigner, elle et la bonne bête, de leur démarche lasse. Puis il trouve de la vaisselle rustique. Mais Léa est vraiment une citadine. Elle aime la finesse, bien que son rire soit vulgaire. Elle a conservé ce rire qu'ont les adolescentes qui aiment se faire remarquer. Dans les restaurants, il a honte quand elle s'esclaffe comme une jeune excitée. Il a observé qu'il y avait toujours une fausse note dans les cascades. Des pleurs égarés qui surgissent, de façon inattendue, là où il ne faut pas. Pauvre Léa. Pauvre chien. Pauvre femme qui en a marre des voleurs. Et lui qui ne trouve pas de cadeau. Parce que la vie n'en fait pas.

Il descend trois marches et se retrouve dans la section de Noël. Des sapins miniatures, des boules et des lumières décoratives. Des crèches. Les moutons sont superbes. Que dirait-elle d'un mouton ? Il sourit en se rappelant le Noël où Léa a raté sa permanente. Personne ne l'a oublié. Un mouton, cela ne la ferait certainement pas rire. Il aurait plus de chance avec le chien !

Il s'apprête à remonter les marches. Juste au-dessus de sa tête, une étoile de soie écrue, ornée de petits cœurs scintillants, tournoie dans le vide. Claude la décroche et se dirige vers la caisse. La femme âgée se tient devant la vitrine en fixant l'horizon. Le chien bâille. Claude pose l'objet sur le comptoir, attrape une carte des plus neutres et écrit :

À Léa, ma fée des étoiles, pour qui je décrocherais la lune. Joyeux anniversaire !

Claude

Sans délicatesse, il dépose le bic sur la vitre du comptoir et demande :

« Cela fait combien ? »

La femme âgée se retourne et, en apercevant l'étoile :
« Oh ! Mais elle n'est pas à vendre... »

Claude a soudainement très chaud. Il baisse la tête. Le chien lui tourne le dos pour se diriger vers l'autre partie du magasin où l'homme à l'accent étranger est en train d'enfiler son manteau. Le chien le regarde partir. Les salutations s'émiettent sur le seuil et la femme lui renvoie la pareille. Un murmure qui ressemble à une prière.

Claude consulte sa montre. Le chien gémit devant la porte. La femme, en avalant sa salive :

« Ce n'est pas grave. Prenez-la ! De toute façon, bientôt, je vais tout bazarder... »

Sur la grève

Quand nous nous sommes connus, elle avait les cheveux longs, mais portait souvent un bandeau qui lui dégageait le visage. Un joli visage, coquin. Ses yeux en amande lui donnaient l'air asiatique, plus que maintenant. Aujourd'hui, ses cheveux sont très courts. Ils repoussent lentement depuis qu'elle les a rasés, il y a quelques mois. Leur couleur naturelle rejoint celle de sa toison abondante aux reflets dorés.

Elle a encore ce petit rire étrange, presque nerveux, de l'époque où je l'ai rencontrée. En ce moment, elle est calme. Parce qu'il y a la mer. Elle ne la quitte pas des yeux à travers la vitre de l'auto. Pourtant, c'est tout gris. L'eau autant que le ciel. Mais il a cessé de pleuvoir. L'homme qui nous a pris en stop le confirme en arrêtant les essuie-glaces. Selon lui, c'est momentané. Un ciel couvert de cette façon, ici, avec un vent qui vient de par là, laisse présager qu'on en prendra pour plusieurs jours. Nous avons peut-être affaire à un pessimiste.

Elle agite son pied, derrière le siège de l'homme, comme lorsqu'elle s'apprête à bouger. La grève est longue et déserte. « C'est magnifique ici ! » ai-je échappé en songeant qu'il faudra repasser un jour qu'il fera beau. Car je continue d'espérer que le temps redeviendra clément avant la fin du voyage. Elle a cessé sa rotation du pied. C'est la queue d'un chat qui s'est arrêtée de battre.

« Allons-y ! » lance-t-elle en se tournant vers moi.

Le chauffeur me cherche des yeux dans son rétroviseur. Il me sonde en ralentissant, puis immobilise son véhicule. Nous le remercions et lui souhaitons une bonne journée tandis qu'il nous dit d'en profiter parce que « ça ne durera pas ». Il parle encore de la météo. Ou de la vie. Ou de l'amour. Je ne sais pas ce qu'entend Christiane.

Elle court sur la grève, s'arrête, retire ses chaussures de marche. En moins de deux, elle se sera dépouillée de son imperméable, de son pull, du jean, des chaussettes et des sous-vêtements. Elle est nue déjà. J'enfouis mes mains dans les poches de mon polar. Je me recroqueville près de ses vêtements empilés, comme un bon chien fidèle. Et je contemple ce corps tout blanc dans le gris, qui se lance dans les vagues en sautillant. C'est la joie, la joie de Christiane, ici comme dans la mer du Nord. Je me souviens, l'Irlande avec elle... Le coucher du soleil... Son regard triste dans le trop de lumière. De la même façon, tout à coup, le petit corps blanc avalé par la mer déchaînée.

Elle disparaît. Je cherche à fixer le point précis d'où elle ressortira. C'est un jeu solitaire que j'ai appris au fil des ans. Un jeu qu'elle ignore. Comme tant de choses qu'on ne se dit pas parce que les pensées sont comme les vagues.

Sa tête ressort, beaucoup plus loin. J'ai encore perdu. Est-ce qu'elle touche le fond ? Je ne le saurai pas. On me paierait cher pour que je me lance dans cette eau glacée. J'ai toujours cru qu'il n'y avait qu'elle pour faire corps avec les eaux mordantes. Mais il y a une autre tête, tout près de la sienne. Elle parle à quelqu'un. Je n'entends rien, avec le rugissement de la mer. Je présume qu'elle parle anglais avec un touriste qui veut savoir d'où nous venons, où nous allons et ce que nous avons trouvé pour nous loger dans la région. Il va comparer, parler du guide de voyage qu'il a acheté et dans lequel on prétend que ceci est mieux que cela. Je préfère que ce soit elle plutôt que moi. D'abord, pour la température de l'eau. Ensuite, pour le fait de devoir causer avec un touriste alors qu'on se croyait seul au monde.

Christiane a dû trouver une formule pour mettre fin à la conversation. Ou s'est-elle mise en colère au point de noyer le touriste ? Je ris tout seul. Je ne distingue plus qu'elle, n'empêche. Je ris, mais je ne vois pas réapparaître l'autre tête... Je remonte le capuchon de mon polar à cause du froid. Peut-être que je devrais bouger. Je me lève et avance de quelques pas. Je touche l'eau. Moins désagréable que je ne pensais. Je me redresse. C'est clair, il n'y a plus qu'elle. Où est passé l'autre ? Serait-il sorti de l'eau sans que je l'aperçoive ? La grève est déserte. Que les vêtements de Christiane, entassés. Son slip risque de s'envoler si je ne le glisse pas sous son jean. Je me penche et le protège, délicatement.

Il faudrait qu'elle sorte. Le ciel devient menaçant. Je n'aimerais pas vivre ici en hiver... Où donc est celui à qui elle parlait ? Sur la route, personne. D'où venait-il ? Il n'y a pas une bagnole, pas un vélo, rien. Je n'ai pourtant pas rêvé.

Je marche, sans trop m'éloigner des vêtements. Je les surveille en humant l'air marin. Voilà ce que j'aime de la mer. Son parfum. Heureusement. Mais l'idée de s'y plonger, vraiment, je n'ai jamais trop compris. Pour Christiane, la baignade est le seul rapport qui compte avec l'eau. J'ai toujours trouvé ridicule de se baigner dans les piscines. Les gens qui s'éclaboussent en rigolant. Je ne comprends pas. Dans la mer, je veux bien, mais à condition que l'eau ne soit pas glacée. Christiane est folle. Et moi je reste. Enchaîné. Sans pouvoir m'éloigner de ses vêtements. Le type qui disparaît et elle qui continue de jouer dans l'eau. Je ne sais rien de ce qui se passe. On dirait qu'elle se fout que je sois là à attendre. Car j'attends le moment où je pourrai la contempler de nouveau. Elle, et sa frimousse irrésistible. Ses yeux légèrement bridés, son rire nerveux, joie contenue. Comme quand elle jouit. Et ses cheveux et sa toison... C'est tout cela qui me retient. Mais elle, ce qu'elle me trouve, je n'en sais rien. On ne partage pas les baignades. Ni les soirées au théâtre. Et pourtant, elle en mange. Était-il comédien, le mec dans l'eau ? A-t-elle des rendez-vous sous-marins que j'ignore ? Je me remets à rire tout seul. Seul sur la grève. Avec les fringues. Les manches de son pull replié ont la forme d'un sourire. Ai-je inventé cette seconde tête qui est apparue tout à l'heure, au loin ? Si Christiane ne revient pas immédiatement, je vais peut-être devenir fou. Un fou sur la grève. Cela ferait un bon titre dans le journal local. Je ris encore, avec le pull replié, et me fais éclabousser, tout à coup.

« Christiane !

– Tu as vu ? s'informe-t-elle, amusée. Je me suis trouvée nez à nez avec un phoque ! Tu te rends compte ? Un phoque ! »

Elle poursuit en se rhabillant :

« Il était aussi étonné que moi. On s'est fixés un moment, je lui ai parlé. Et il a plongé. »

Elle ricane, puis s'arrête net. Elle questionne le ciel. Et en me regardant droit dans les yeux :

« Il avait peut-être raison, le type. Ça ne va pas durer. »

La perfection

J'ai creusé avec minutie. J'ai manié délicatement la spatule pour égaliser le contour. Un rectangle parfait dans la terre humide. C'est ce qu'il faut à une pierre rectangulaire. Elles me l'ont confiée. Ce n'est pas rien. Le trou que j'ai creusé est parfait. Je le sais.

Elles sont assises au soleil. Elles boivent dans des coupes en plastique assorties à leur maillot. Je pourrais affirmer, sans mentir, qu'une des femmes est jaune, que la deuxième est rose et que l'autre est bleue. Je pourrais affirmer bien des choses, ne serait-ce qu'à propos des lunettes, également en plastique coloré, que l'une replace sur son nez, que l'autre retire pour en mordiller les branches et que la troisième a installées comme une paire d'yeux narquois dans ses cheveux platine.

Je n'oserais pas parler de leurs jambes nues cependant, de leurs pieds fins qui pivotent au bout des chaises longues et de la balançoire. J'essaie de les détailler, c'est impossible. Mais tout à l'heure, à la dérobée, quand je me placerai exactement au bord du trou, quand elles-mêmes retiendront leur souffle juste avant que je laisse tomber la pierre dans la terre, j'arriverai bien à jeter un vrai coup d'œil sur leur peau huilée.

J'entends leurs rires. Elles ne se doutent pas à quel point le trou est parfait pour recevoir la pierre. Elles ne se doutent pas.

Ce sont des rires insouciants comme ceux des enfants. Elles n'ont pas d'enfant. Elles me prennent d'ailleurs pour un gosse. Je pense à cela, et mon rire se joint aux leurs. Mon rire sonore qui couvre les cascades. Elles se sont arrêtées.

Elles boivent. Elles attendent. Je cours chercher la pierre. Cela les amuse toujours de me voir claudiquer. Je suis leur clown. Leur amuseur. Elles devraient se lever et aller contempler le trou. J'aimerais tant qu'elles se rendent compte de la perfection. La perfection ailleurs que dans les couleurs. La perfection inscrite dans la terre. Je suis plié, la pierre lourde entre les mains. Je fais attention. Très attention à la pierre rectangulaire qu'elles m'ont confiée. Je ne cours plus, je glisse un pied devant l'autre. Fragile comme une bombe, la pierre rectangulaire. Ne riez pas trop fort, mesdames, ne réveillez pas la pierre qui dort.

Je la tiens, bien au-dessus du trou. Et je les tiens toutes. J'ai tourné la tête vers elles. Elles ont dit oui, comme chaque fois. Mais cette fois-ci est la bonne. Je lâcherai la pierre, elle tombera directement dans le trou. Ce sera la perfection. Celle du silence, d'abord, quand elles ne rigolent plus, ne bavardent plus, quand elles se recueillent pour la pierre à ensevelir.

Je jette mon vrai coup d'œil sur leur peau luisante. Sur les jambes, surtout, puis sur les petites tailles enveloppées dans les maillots aux couleurs bonbons. Les bras fins contre les accoudoirs, les poitrines offertes, les visages impassibles... Elles sont si belles toutes les trois, si belles. Jusqu'à ce moment précis où leurs rires éclatent en même temps que ma douleur aux pieds. Parce qu'une pierre si lourde qui écrase les orteils provoque un mal atroce. Mais le pire, le pire, c'est le trou à refaire. Toujours.

Madeleine

« On sera bien ici », décrète-t-elle.

Elle longe les murs du petit chalet. Sa crinière de lionne va et vient comme dans une cage.

« Le lit est confortable », dis-je en m'allongeant.

Je constate que la cloison des toilettes n'atteint pas le plafond. Mado tire une des quatre chaises dépareillées, dans la cuisine ouverte sur la chambre. Le bruit de cette chaise tirée et, du coup, je me sens vendredi, à l'époque où je travaillais avec Pascal. Sa chaise de bureau, qu'il repoussait jusqu'au lundi, sa mallette qu'il refermait, ses gestes énergiques, ses pas heureux s'arrêtant sur le seuil. Nous l'entendions tourner la clé dans la serrure, nous savions tous qu'il partait rejoindre sa femme, en plein après-midi. Tous les deux donnaient envie d'être en couple. Je souhaitais être amoureux.

« La mer est belle... », souffle Mado, assise toute droite devant la porte-fenêtre.

La tête sur l'oreiller, j'évalue plutôt l'espace restreint qui sera le nôtre au cours des prochains jours. Je repense à tous ces lieux qui sont devenus des bulles, chaque fois que j'ai eu le bonheur de converser avec Pascal, au fil des ans... Jusqu'à ce dernier restaurant où nous nous sommes donné rendez-vous, il y a si peu de temps. Je levais difficilement les yeux vers ce nouveau visage au teint gris qui me scrutait tout en parlant d'une voix éteinte. Je piquais mon steak du bout de ma fourchette. Je piquais, comme on pique un cœur déjà endolori. De temps en temps, je hochais la tête en traînant ma pièce de viande dans la sauce, sans envie.

« C'est amusant, commente Mado, ils ont essayé de représenter l'archipel ! »

Mon regard se pose sur cette croûte de terre cuite suspendue au mur du chalet.

« Ce sont les Îles, tu crois ? On dirait un steak. »

Mado s'esclaffe. Comme je n'ai pas blagué depuis plusieurs jours, elle s'approche du lit pour se rendre compte qu'une fois de plus j'ai la larme à l'œil. Aujourd'hui, à l'église, les collègues dispersés dans la foule...

« Je vais me promener », annonce-t-elle en tournant les talons.

Elle se rassoit sur la chaise chromée pour lacer ses chaussures. Ensuite elle sort. Le temps qu'elle referme, j'entends les vagues se jeter rageusement sur le sable. Un coup de vent emmêle déjà les cheveux roux de Mado qui s'éloigne.

J'allume une cigarette. Je dois me lever pour chercher un cendrier dans les armoires remplies de vaisselle bon marché. Apprivoiser la mort d'un ami, dans un lieu inconnu, me paraît terriblement exigeant. J'exhale la fumée devant la porte-fenêtre à travers laquelle je vois Mado courir sur la plage. C'était son idée.

Le ciel immense. Ces traînées de soleil, qui forment des ridules souriantes au cœur des nuages, laissent penser que Pascal est là, juste au-dessus de nous, ironique. Mado court vers lui, on dirait. Elle s'élance vers la mer ou vers le ciel, je ne saurais dire.

J'écrase mon mégot dans un cendrier au fond duquel un voilier a été peint, maladroitement, sur un océan trop bleu. Je me laisse tomber sur le lit qui creuse. En fait, ce lit n'est absolument pas confortable. Ce sera encore plus désagréable quand nous serons deux. Mais Mado ne s'en plaindra pas. Elle fera comme si tout allait pour le mieux, comme si le fait d'avoir pris l'avion tout de suite après l'enterrement avait été l'idée du siècle. Mais il n'y a pas d'idée du siècle, il n'y a rien, rien qui tient, c'est ce que je me dis en allumant une autre cigarette.

C'est curieux, ce serrement au milieu du thorax. Cet endroit où l'amitié se loge, insidieuse, importante sans en avoir l'air. Et les sanglots qui secouent mon corps, le corps d'un autre puisque je m'épie moi-même, étonné de mes pleurs de petit garçon. Pascal... Mon ami.

Le glissement de la porte-fenêtre. Je me ressaisis, mais Mado a vu. Mon corps recroquevillé, l'oreiller mouillé, elle a vu, mais elle préfère se pencher pour retirer ses chaussures volumineuses et ensablées sur la carpette. Puis, en soupirant, elle enlève son anorak.

« Tu as fumé, dit-elle. Dans un si petit espace, c'est répugnant. »

Elle entre dans les toilettes. Le son d'un pipi délicat, un pipi moins lourd que celui des hommes dans la cuvette, toujours, l'urine des femmes.

« Si tu continues, tu ne verras rien des Îles, débite-t-elle en déroulant le papier hygiénique. En plus, tu as tort d'idéaliser Pascal ! »

Je me redresse. Surpris. Pendant qu'elle tire la chasse d'eau, je hausse le ton :

« J'idéalise Pascal ? »

Elle va se planter dans la cuisine.

« C'est facile d'idéaliser les morts, tu sais. Et maintenant il est mort. »

À travers les larmes qui recommencent à me brûler la peau, je distingue mon paquet de cigarettes et l'attrape.

« Mais qu'est-ce que tu racontes, Mado ?

– Tu ne vas pas allumer une autre cigarette ! C'est déjà assez enfumé, ici dedans. »

Je laisse tomber les cigarettes. Elle écarte la chaise de son passage. Encore ce bruit de chaise tirée, sur le plancher... Mado me rejoint. Son poids sur le lit me donne l'impression que nous nous trouvons tout à coup à bord d'un bateau qui tangue.

Je jette un œil à la mer. Madeleine... Elle sera toujours la femme de Pascal, un vendredi après-midi.

Noir sous le soleil

L'odeur de charogne, au bord de la route, l'a pris à la gorge. Il a porté la main à son visage. Déjà, il avait envie de vomir. Il a serré les lèvres en imaginant la guerre dans les pays où il fait chaud. Des cadavres empilés depuis des jours devant des bâtiments éventrés. C'était comme s'il se souvenait, lui qui ne s'était pourtant jamais trouvé dans un pays en guerre. Des morts embaumés, devant lesquels il s'était recueilli dans quelques salons funéraires feutrés, il n'avait retenu que les effluves d'une surabondance de fleurs. Comment pouvait-il avoir mémoire de corps décomposés ?

Il a fait quelques pas sur l'asphalte brûlant et s'est approché des deux sacs au-dessus desquels les mouches tourbillonnaient dans le fossé. L'un d'eux était entrouvert. Avec une branche, il a soulevé l'ouverture pour tenter d'apercevoir le contenu. Des tripes. Un des sacs renfermait des tripes tandis que l'autre, beaucoup plus grand, semblait contenir un corps assez lourd. La carcasse d'un animal. Il a tout de suite jeté la branche à l'orée du bois et s'est remis à marcher, la main collée à la bouche, l'index et le pouce lui servant de pince-nez.

Il a marché, comme s'il fuyait quelqu'un. Ou était-ce à sa propre mort qu'il tentait d'échapper en vain ? Il a marché,

marché, jusqu'à ce qu'il réentende la rumeur de la fête à laquelle il devait retourner. Il a ralenti le pas, a étiré le cou vers le sommet des arbres. Il a respiré à fond le parfum du catalpa. Les grappes de fleurs retombaient sur le petit chemin menant à la résidence secondaire de Charles dont on célébrait l'anniversaire.

Sur la colline, il a tout de suite repéré Romaine. Elle faisait la ronde avec ses fillettes toutes vêtues de blanc. La plus grande avait de longues nattes dorées, comme dans les contes. La plus jeune portait un chapeau rond orné d'un ruban bleu pâle. Il avait tellement plu, au cours des dernières semaines, que l'herbe était aussi verte que sur l'île où il était né. Des ballons blancs étaient suspendus aux arbres, dispersés dans la verdure. Au milieu, il y avait Charles dans une chemise de soie fuchsia et un pantalon de lin vert tendre. Centré sur lui-même, il n'allait certainement pas se tourner vers lui. Mais Romaine et les filles, elles, ont agité la main dans sa direction.

Allaient-elles venir à sa rencontre, après cette courte promenade ? Lui et les enfants s'appréciaient mutuellement, mais il ne fallait pas trop en demander. C'est ce que lui disait Romaine, parfois, dans les moments où il avait tendance à se décourager. Un jour, il les emmènerait toutes aux Îles, il présenterait Romaine à sa famille et les fillettes auraient l'air d'être les siennes, le temps des vacances.

L'odeur de charogne lui est revenue. « Les Îles », s'est-il répété en ne quittant pas des yeux l'étendue de verdure devant lui. L'aînée des fillettes a commencé à descendre, très doucement, pour le rejoindre. Elle déambulait sans le regarder, de façon lunatique, en s'attardant. Une fois près de lui, elle a murmuré, comme pour elle-même :

« J'ai trouvé cette chenille. Elle n'arrête plus de faire l'aller-retour sur ma branche. »

Il s'est penché au-dessus de cette chose velue qui avançait et reculait de façon obsessionnelle sur le bout de branche qu'Amélie tenait fermement.

« Regarde, a-t-il dit, on pourrait la poser dans l'herbe... »

Amélie a hoché la tête et, craignant d'être séparée de sa petite bête, elle est repartie en vitesse se réfugier derrière sa mère. Romaine a levé les yeux vers lui, une interrogation dans le regard. Il les a rejointes. Amélie s'est éloignée au pas de course, en ne lâchant pas la chenille. Plus loin, Charles était déjà accroupi, les bras ouverts, prêt à accueillir la fillette qui n'a pas hésité à se jeter contre sa poitrine. Très vite, leurs rires à tous les deux ont résonné, en harmonie. Ils s'amusaient. Charles était doué, plus que lui. Pour les femmes, les enfants, les amis, pour le bonheur. C'était son anniversaire et tout le monde se trouvait là, toujours prêt à venir partager ses petites et grandes joies.

« Tu as fait une belle promenade ? » s'est inquiétée Romaine en posant une main calmante sur son épaule.

Il a tenté de lui répondre, mais l'envie de vomir l'a repris de plus belle. Il aurait peut-être dû lui décrire cette odeur de putréfaction, lui raconter ce qu'il avait vu, sur la route, mais il en était incapable. L'image aurait eu l'air d'un mensonge sur ce fond sonore tissé des rires d'Amélie et de Charles.

« Magnifique », a-t-il laissé tomber, sans conviction.

Sur le vert, cette tache fuchsia le dégoûtait. La jeune Amélie, tout en blanc, ressemblait à une colombe enveloppée d'un mouchoir de mauvais goût. Charles exagérait, avec les couleurs.

« Ridicule, a-t-il observé, les dents serrées.

– Qu'est-ce que tu dis ? » s'est étonnée Romaine.

Il a haussé les épaules et s'est dirigé vers la longue table recouverte d'une nappe de dentelle blanche, sous les arbres.

Il s'est versé un scotch. À ses côtés, sous le soleil de l'après-midi, une femme en robe de soirée noire, le dos nu, prenait la même chose.

« Nous n'avons pas été présentés », a-t-il osé.

Le prénom lui a échappé, mais il a saisi la fin de la phrase :

« ... une amie de Charles.

– Mais nous sommes tous des amis de Charles !

– Oui, des amitiés de longue date et d'autres plus récentes... »

Ils ont pris une gorgée de scotch au même moment. Le regard maquillé a scruté son air triste.

« Vous êtes Français ?

– Madelinot. »

Elle a avalé une autre gorgée de scotch après avoir esquissé un sourire.

« Je voudrais de l'orangeade », a prononcé une toute petite voix sous un chapeau rond.

Il a acquiescé, sans s'attarder au visage rose devant lequel pendait le ruban bleu pâle récemment détaché du chapeau. Il a versé la boisson colorée dans un gobelet en plastique.

« C'est votre fille ? a vérifié la femme, faussement attendrie.

– Non, non ! » a-t-il tranché en tendant le gobelet à l'enfant qui tarda à le prendre.

Ce qui lui semblait important, tout à coup, était cette femme vêtue d'une robe de soirée noire par un après-midi champêtre. Il avait envie de demander : « Mais qui êtes-vous ? » et qu'elle lui réponde autre chose que « une amie de Charles ». Il a voulu se donner une contenance. Pour atteindre les amuse-gueule, il a allongé le bras derrière elle. Lorsque son nez a frôlé la nuque au passage, il n'a pas récolté le parfum qui aurait résolument effacé l'odeur persistante de charogne. Cette femme en noir n'avait pas d'odeur particulière. Comment avait-elle pu enfiler une robe du soir, lisser sa longue chevelure et la coiffer en chignon, tirer une ligne sur ses paupières, allonger ses cils avec du rimmel, se mettre du rouge aux lèvres, tout cela sans se parfumer ? Il a attrapé une bouchée au saumon fumé. Le poisson lui roulait dans la bouche quand Romaine l'a appelé. Il a eu une hésitation.

« À plus tard », a soufflé la femme en noir.

Il l'a saluée, en inclinant légèrement le torse en même temps que la tête, comme il aurait tiré sa révérence, à une autre époque. En fait, cette femme le terrifiait. Elle lui semblait si sombre sous le soleil de l'après-midi.

Il a rejoint Romaine de laquelle Charles s'approchait également. Les deux hommes ont échangé un salut de la tête et Charles a émis un rire étrange. Un rire qui ne venait pas du cœur, mais de la tête. Un rire de tête.

« Alors ? a questionné Charles en lui tapant dans le dos.

– Alors quoi ?

– Tu es allé faire une promenade ? Rébecca t'a accompagné ?

– ... ?

– La belle dame en noir avec qui tu causais. Elle va chanter tout à l'heure. C'est ma Barbara ! » a-t-il expliqué en émettant de nouveau son grand rire de tête.

Il s'est détourné pour examiner avec un peu de distance, cette fois, la femme à la robe noire qu'il venait de quitter. Pouvait-elle être chanteuse ? Elle avait l'air d'un personnage que l'on aurait parachuté là par hasard, elle était un corps sans odeur que l'on aurait déposé dans un fossé. Romaine a saisi nerveusement le bras potelé de sa benjamine au chapeau rond.

« Regarde-moi ça ! »

Sa robe blanche était couverte d'orangeade.

« Tu lui en as trop versé... », a repris Romaine.

Il n'a rien dit. La fillette lui avait demandé de l'orangeade et il lui en avait donné une quantité correcte. Sans plus. Charles a éclaté de rire :

« On ne sert pas une boisson à une enfant comme on servirait du whisky à un copain. Il faudra que tu apprennes, mon vieux ! »

Puis il a lancé un clin d'œil à Romaine tandis que la petite commençait à répéter :

« Regarde-moi ça ! Tu m'en as trop mis ! Tu m'en as beaucoup trop mis...

– Ça sent la charogne, sur ton chemin... a-t-il lâché, tout à coup, en direction de Charles.

– Ah, ces Madelinots ! Quand ça ne respire pas le varech, ça parle de charogne ! »

Charles s'est éloigné, invitant aussitôt Rébecca à prendre place sur la scène improvisée, un kiosque octogonal autour duquel étaient suspendues des corbeilles débordantes de bougainvilliers.

La chanteuse s'est installée, toute droite, le regard fixe. Puis elle a commencé à chanter *a cappella*. Les fillettes restaient silencieuses, comme tous les autres, enfants et adultes. Seuls quelques chants d'oiseaux se faisaient entendre parfois. Et le vent dans les feuilles. C'est étrange, il la voyait fixer un point, un point qui aurait été juste derrière lui. Tout le temps qu'elle a chanté, elle n'a pas quitté ce point. À un moment, mine de rien, il s'est tourné vers son épaule droite, comme s'il avait pu y avoir quelqu'un derrière. Quelqu'un d'invisible collé à lui.

« Qu'est-ce que tu cherches ? » lui a chuchoté Amélie.

En guise de réponse, il a soulevé une de ses longues nattes dorées. L'enfant a tressailli. Il a immédiatement laissé tomber la natte et a ramené son index à ses lèvres, en écoutant la voix caverneuse de la femme en noir.

Ses doigts étaient imprégnés de l'odeur de charogne. Près du kiosque, Charles se tenait fièrement. Il arborait un sourire de gérant d'artiste, scrutant l'expression du public attentif. De temps en temps, il cherchait à gagner le regard de Rébecca, en quête d'une reconnaissance qui lui aurait été due.

La femme continuait de fixer ce point invisible. Et lui, ne sachant plus s'il allait pouvoir se retenir de vomir, s'est déplacé discrètement vers un pin centenaire près duquel il allait pouvoir s'exécuter, si jamais il avait un haut-le-cœur. Curieusement, le point semblait s'être déplacé aussi.

À la fin de la dernière pièce, les convives ont applaudi. Des applaudissements moites et paresseux. Lui, réfugié derrière le pin, s'est mis à taper des mains de façon vigoureuse. Comme on se sent bien après avoir vomi! se disait-il, énergique, en sortant de sa cachette. Il continuait d'applaudir avec ses mains raides. On aurait cru à un jouet mécanique. La femme en noir avait baissé les yeux. Mais les autres, les bras ballants, écoutaient ces applaudissements solos en se tournant peu à peu vers lui. Romaine s'est aperçue qu'il était blême. Elle a abandonné la main de sa petite pour aller le rejoindre.

« Ça va ? »

Et en apercevant la vomissure dans l'herbe et sur ses chaussures :

« Tu as trop bu. Arrête d'applaudir, je t'en prie. »

Il a obéi et s'est écarté d'elle pour marcher à travers les invités qui murmuraient leurs commentaires. Le répertoire n'aurait pas été approprié à la circonstance. Il aurait fallu des airs de fête. Le soir tombait. On a allumé des torches à la citronnelle et bientôt il y en a eu partout à travers le domaine.

Il n'y avait toujours rien pour enrayer l'odeur de charogne qui persistait dans ses narines et sur sa peau. Il déambulait en se disant voilà, voilà à quoi ressemblent les amis de Charles. Certains allumaient des feux en se rappelant des souvenirs de scouts. Un invité a sorti de sa poche un vieux recueil de chansons. « Mon petit *Bivouac* ne me quitte jamais depuis mes randonnées en plein air avec ma copine. Sa voix sur le lac, mon vieux !... » Et les autres se sont esclaffés. Les convives s'amusaient, dispersés dans la nature. Et lui continuait à circuler comme pour échapper à quelque chose.

À l'orée du bois, il lui a semblé que toute la forêt était imprégnée de l'odeur de charogne. Il aurait souhaité pouvoir atteindre la mer. Mais elle était loin, bien trop loin... Il s'est assis sur une pierre avec l'impression qu'il allait se mettre à sangloter. Il se sentait ridicule, craignant même que Charles apparaisse, sorte de l'ombre et rie de lui. Il se voyait, bousculant Charles, l'immobilisant contre le tronc d'un arbre. Il se voyait lui plaquer l'avant-bras sur la gorge et pousser, pousser de toutes ses forces. Cela devenait tangible. Le regard suppliant de Charles, pendant l'étranglement, puis son corps qui glisserait finalement le long du tronc, inerte. Il l'écarterait du bout de son pied taché de vomissure. Il le repousserait, une fois pour toutes. Et plus jamais Romaine ne pourrait l'inviter à un rassemblement autour de Charles. Charles et les amis de Charles. Plus jamais. Les remarques et les regards entendus, les rires de tête...

Il s'est levé, machinalement, a secoué son pantalon et a suivi le murmure du ruisseau. Il s'est penché au-dessus, a fini par y plonger les mains. Il fallait qu'il se lave, car il avait vraiment la sensation d'avoir tué Charles. Il en a profité pour nettoyer ses chaussures et est aussitôt reparti, comme après une mission accomplie.

Il est de nouveau passé près des fêtards rassemblés autour du *Bivouac*. Complètement ivres, ils chantaient en riant: *Le coq est mort, le coq est mort ! Il ne dira plus cocodi, cocoda ! Cocodicodi, codicoda !* Il a continué d'avancer dans la pénombre. Il a tapé sur son bras, mais il était trop tard, un moustique l'avait piqué. Il avait horreur que les moustiques lui tirent de son sang. L'idée qu'un jour des mouches et des vers s'attaqueraient à son corps lui répugnait terriblement. Il a aussitôt recommencé à avoir la nausée.

« Il est là ! Il est là ! » ont crié les deux fillettes en fonçant sur lui.

Le bruit de leur course sur la terre humide a résonné jusque dans sa poitrine. Des petits pas se confondant avec les battements du cœur, jusqu'à émouvoir. En leur tapotant la tête, il a pensé que la plus jeune avait dû larguer son chapeau. Il s'est étonné d'avoir ce genre de préoccupation, lui pour qui personne n'avait compté pendant si longtemps. Au même moment, Amélie a murmuré :

« On te cherchait partout... »

Il a senti une chaleur au plexus. Puis un refroidissement graduel. Il a reconnu le dos échancré de la chanteuse qui titubait à présent. Son chant était méconnaissable. *Unissons nos voix*, entonnait-elle au milieu d'un groupe.

Il s'est arrêté. La femme en noir s'est retournée. Elle avait cessé de chanter, mais les autres poursuivaient : *Et si je rencontre la mort en chemin / Fauchant parmi les rangs des gueux / Oui, je serai prêt à partir, sans chagrin / Je dirai mon dernier adieu.* Elle a vidé son verre d'une seule traite. Elle lui a ensuite fait un léger salut, comme lorsqu'on a la prétention de croire, avec certitude, qu'on se reverra.

Tiré par les deux fillettes, il a repris le pas jusqu'à ce qu'il aperçoive Romaine, tenant le chapeau déglingué de la plus jeune.

« Tu n'as pas vu Charles ? a-t-elle demandé. On ne peut pas partir sans l'avoir salué... »

La cadette se frottait les yeux. L'aînée bâillait. Ils n'ont pas trouvé Charles. Et ils ont repris la route.

Je crie je t'aime

Dans la maison silencieuse, tes coups de couteau sur la planche à découper faisaient le bruit d'un cœur battant. Amour. Tu entassais les fruits dans un bol à déjeuner.

Dès le réveil, je crie je t'aime en me dirigeant vers l'escalier, pieds nus. Je veux voler vers toi, aller me blottir contre ton peignoir et découvrir ta poitrine velue. Glisser mon nez froid dans ton cou pour humer ton parfum. Sentir tes doigts imprégnés de jus de fruits chatouiller ma joue. Je crie je t'aime et tu ne réponds pas.

Mes pieds se posent avec plus de lenteur qu'avant sur les marches de bois. Je descends, doucement, ralentis encore. Une princesse éplorée qui s'accroche à la rampe en criant je t'aime à quelqu'un qui n'entend pas. Dans ma tête, tu continues de couper d'autres fruits et, à toute allure, le couteau martèle la planche à découper. J'imagine le bol débordant de fruits et toi qui continues, continues de couper la chair d'une mangue, puis celle d'une fraise. Continue, continue de vivre !

J'arrive en bas, dans la cuisine déserte. La planche à découper ne sert plus à rien. L'appétit s'en est allé, avec toi... Je crie je t'aime en espérant qu'une voix me revienne en écho. Dans l'absence, je crie je t'aime. Mon amour...

Voici avril

L e mercredi, tu gardes l'auto. C'est entendu. Tu m'as souhaité une bonne journée en m'éraflant la joue avec ta barbe. Oublié de te raser. Je me suis frotté le visage en faisant la queue au guichet. Je n'avais pas de billet. Les autres passagers payaient leur abonnement mensuel. C'était long. La journée allait être longue. Mais tout à l'heure, en sortant du bureau, j'ai soupiré : « Une autre de finie... », et j'ai étalé un peu de poudre sur mes joues moins rouges qu'elles ne l'étaient ce matin.

Je retourne à la station, rejoindre des travailleurs aussi fatigués que moi. Je marche derrière une femme et un enfant. On ne se demande plus si on en aura, des enfants. C'est entendu, comme pour l'auto que tu gardes, le métro que je prends, le mercredi.

Dans le couloir, je dépasse la femme et l'enfant en prenant le temps d'examiner la brillance des cheveux, le maquillage étudié, les boucles d'oreilles clinquantes. Tailleur taupe « très tendance », c'est ce qu'a dû dire la vendeuse au moment de l'achat. Talons hauts. Le pas assuré. Dans une main, un porte-documents en cuir italien. Dans l'autre, les doigts de l'enfant.

Je me prends à imaginer cette femme élégante en train d'accoucher... Décoiffée, sans maquillage, elle a dû forcer, faire la respiration du petit chien. Le sang a coulé d'entre ses cuisses. Il y a eu l'enfant qui chantonne à présent, fait résonner sa voix de Teletubbies jusqu'à ce que le bruit du métro la couvre.

Cette femme se déchaussera tout à l'heure, elle marchera en bas de soie sur son carrelage. Peut-être a-t-elle un mari qui lui demandera si elle veut boire un *Sex on the beach* pendant que l'enfant jouera en silence, dans un coin de leur condo. Quelques plats de chez le traiteur attendront sur le comptoir. Elle ira d'abord prendre un bain thérapeutique et reviendra, toute fraîche, dans un peignoir de satin crème. Ou bleu ? Elle aura le choix, dans son *walk-in*. Je me demande si tu es rentré, si tu as eu le temps de te raser et de te servir une bière.

Les portes du wagon s'ouvrent. Je me hâte, me pousse contre elle et l'enfant debout tout au fond. Le bruit des portes qui se referment. Comme s'il s'agissait d'un signal, l'enfant commence à raconter sa journée. La femme écoute, distraitement. Elle pense à quelque chose, tout à coup, attrape son porte-documents et l'entrouvre. Elle s'affole, cherche un dossier. En découvrant qu'il se trouve bien là, elle expire bruyamment. Une mèche de cheveux plus pâle, qui se détachait des autres, se soulève avant de lui retomber sur le nez. Elle pose son sac sur le plancher du wagon et, du revers de la main, elle écarte la mèche qui revient aussitôt se coller à sa peau humide. Elle sent encore bon et son rouge à lèvres est aussi tenace que son parfum.

La fillette lève le couvercle de sa boîte à lunch en prenant l'air préoccupé qu'avait sa mère en fouillant dans le sac. Cherche-t-elle vraiment quelque chose ? Sa pomme, son reste de sandwich, une tablette de chocolat ou un jus ? Discrète, elle sort finalement un truc que je n'arrive pas à distinguer et que, pourtant, je souhaitais voir. Elle s'en rend compte, s'agrippe au tailleur de sa mère qui sursaute en sentant la petite main dans son dos. Une main d'enfant dans un dos, je me dis, pendant que la femme réagit avec un brin d'impatience :

« Qu'est-ce qui se passe ? »

L'enfant ne lui répond pas. Elle me fixe en poussant son index dans sa bouche pulpeuse.

« On ne regarde pas les gens comme ça ! » lui lance la mère, sans incliner la tête vers elle.

Cette phrase pourrait tout aussi bien m'être adressée. La fillette semble rire en enfouissant son visage dans le tissu de la longue jupe taupe. Elle s'y enroule peu à peu alors que sa mère essaie de la repousser.

« Maman est fatiguée, soupire-t-elle en se débarrassant d'une première boucle d'oreille.

– Pas moi », rétorque l'enfant qui ne la quitte pas des yeux tandis qu'elle se masse le lobe et arrache sa deuxième boucle.

Le métro freine. Les pendeloques entre les doigts, la femme saisit le bras de la fillette :

« Attention... », murmure-t-elle.

Elle jette les deux boucles d'oreilles dans un compartiment de son sac de cuir.

« On va bientôt arriver.

– Je sais », fait l'enfant qui surveille le panneau lumineux.

De son index encore humide, elle pointe la ligne orange et essaie de compter les stations qui restent avant qu'elles descendent. Plus rien dans les mains. Qu'a-t-elle sorti de sa boîte à lunch, tout à l'heure ? Peut-être un bonbon qu'elle s'est glissé dans la bouche en même temps que l'index ?

Une place se libère, je m'assois. Mon visage se trouve à la hauteur de celui de la fillette qui continue à rigoler dans le tissu de la jupe taupe. Si elle se mouche dedans, elle se fait tuer sur place, c'est certain.

« Arrête donc ! Raconte-moi plutôt ce que tu as fait aujourd'hui...

– Je te l'ai dit, maman. Tu n'écoutais pas. »
La mère sourit, comme si elle avait l'habitude de ce reproche
et préférait en rire. Plusieurs passagers sortent. La femme et
l'enfant se précipitent sur les deux sièges voisins encore chauds.
Une fois assise, la petite entonne un air que je reconnais et qui
se perd dans les soupirs du wagon.

Je ne les entends plus. Je regarde par terre, ayant pour seule
distraction les orteils crevassés de la femme noire assise en face.
Je me dis qu'il fait encore frais pour se balader en sandales. En
avril, on ne se découvre pas d'un fil. Connaît-elle l'expression ?
Je pense à ma sœur qui est en voyage. Je me rappelle les étés
où elle venait me rendre visite, quand elle était gamine. C'était
avant notre mariage, quand je rêvais encore de fonder une
famille avec toi. Lorsqu'on prenait le métro et qu'il y avait
des gens de couleur, elle me faisait remarquer la paume de
leurs mains et le dessous de leurs pieds, qu'on entrevoyait dans
leurs sandales. Elle me demandait si c'était l'usure qui avait
fait pâlir leur peau en la rendant presque blanche. Je n'étais
franchement pas certaine de la réponse. Dans sa dernière lettre,
elle m'écrit qu'elle voyage avec un Africain. Je ne t'ai pas
raconté. On vit ensemble et on ne se dit jamais tout.

La mère et la fillette s'approchent des portes qui s'ouvrent.
L'enfant se retourne et me fait un sourire que je n'arrive pas à
interpréter. La mère pose un pied sur le quai, reprend sa démarche
assurée en entraînant la petite. Je les regarde s'éloigner. La fillette
sautille. La mère avance, déterminée, la tête droite et le regard
fixe. Dans son dos, bien accroché au tissu taupe, un poisson rouge
découpé maladroitement dans du papier construction.

Je me frotte la joue. Des enfants, nous n'en aurons pas.
C'est entendu.

Tournée vers la fenêtre, la femme noire étouffe un rire au
creux de sa paume claire.

Cuirette

lle portait un blouson de cuirette un peu court à la taille et aux manches. De la musique s'échappait de son casque d'écoute blanc, bon marché. Elle n'était pas antipathique, mais ne semblait pas avoir envie de parler à qui que ce soit. C'était le début de notre contrat, le premier soir. Un homme est entré dans la salle, s'est assis et a déposé devant lui une petite boîte métallique qu'il a ouverte. Il nous a appelées, les unes après les autres. J'ai compris qu'elle s'appelait Louise Touchette parce qu'il l'a nommée trois fois et que personne n'a bronché. Je ne suis pas folle. Je lui ai tapé sur l'épaule, elle a seulement écarté l'écouteur de son oreille gauche. J'ai demandé : « C'est vous, Louise Touchette ? » Elle a fait signe que oui, a arrêté son lecteur CD et s'est dirigée vers l'homme. Il a voulu savoir avec qui elle comptait partager sa case. Elle m'a cherchée du regard. Je lui ai fait signe que ça irait. L'homme m'a repérée et il a dit : « D'accord, vous partagerez la case numéro 132. Tenez, votre clé. »

Quand j'arrivais la première, je laissais ouvert en sachant qu'elle n'allait pas tarder. Elle n'avait qu'à placer ses affaires et à refermer ensuite. Mais lorsqu'elle rentrait avant moi, elle n'avait jamais cette délicatesse à mon égard. Elle refermait toujours, un point c'est tout. Et moi, je devais systématiquement fouiller dans mes poches, beau temps mauvais temps, pressée pas pressée, sortir la clé et déverrouiller. Cela a commencé à m'énerver. Un soir, je me suis décidée. Parce que je sais qu'il ne faut pas accumuler. Quand j'accumule, je peux devenir violente, je le sais, c'est apparu clairement pendant ma thérapie. Alors je me suis vraiment décidée. J'étais la première. J'ai ouvert la case, j'ai placé mes effets personnels, j'ai pris ce dont j'avais besoin et, comme d'habitude, je n'ai pas refermé, en me disant qu'elle allait se pointer. Je suis allée m'accroupir de l'autre côté, contre le mur, et j'ai attendu. Elle était un peu limite, sur le point d'être en retard et de me mettre en retard aussi, mais elle s'est ramenée. Elle ne se pressait même pas. Elle balançait la tête au rythme de la musique provenant de son petit casque en plastique blanc. Elle a retiré son blouson, l'a enroulé autour de quelque chose qu'elle souhaitait protéger. Elle a vérifié aux alentours si quelqu'un l'avait remarquée et elle s'est empressée de refermer à clé.

Je ne suis pas folle. J'étais décidée à lui parler, mais là je me disais que le moment était peut-être mal choisi. En même temps, je ne voulais pas accumuler. Alors, pendant qu'elle approchait, j'ai lancé : « Bonsoir, Louise Touchette. » Bien sûr elle n'a rien entendu avec son foutu casque d'écoute. J'ai eu le réflexe d'allonger ma jambe, pour attirer son attention, mais elle n'a rien vu non plus et, du coup, elle a trébuché sur mon pied et est tombée de tout son long sur le plancher bétonné. Je crois que son appareil a dû se casser parce qu'il n'y avait plus aucun rythme qui sortait de son casque pendant que je lui présentais mes excuses.

Elle s'est relevée sans me jeter un seul regard, mais elle a murmuré une phrase entre ses dents, une phrase que je n'ai pas aimée. Elle a dit : « Vous allez me le payer... » J'ai compris que Louise Touchette était une personne qui n'accumulait pas beaucoup et pas longtemps. Cela m'a fait peur, alors je me suis défendue comme je le pouvais. J'ai simplement rétorqué : « J'ai vu ce que vous avez placé dans la case. » Elle était déjà rendue un peu plus loin, mais l'espace d'un instant, sa démarche a changé. Il m'a semblé que Louise Touchette avait même chancelé. J'ai pu constater que son appareil ne fonctionnait vraiment plus et qu'elle m'entendait très bien, malgré son casque d'écoute en plastique blanc qui lui était resté collé aux oreilles. En tout cas, je n'avais pas fait exprès pour qu'elle casse son lecteur CD. Je me suis dit qu'il fallait absolument qu'on se parle et qu'il ne fallait pas accumuler. Au moment du départ, lorsque je suis passée à la case, ses affaires et les miennes avaient complètement disparu. Je me suis dit : « Merde. »

Le lendemain soir, elle n'était pas là quand je suis arrivée. J'ai déverrouillé, la case était toujours vide, et j'ai placé mes effets tout neufs au milieu. J'ai refermé, j'ai attendu jusqu'au point d'être en retard. Elle n'est jamais venue.

Satellite autour d'un grand lit

On la regarde quand on est fatigués, ont-ils convenu, au milieu du salon. Et quand on n'est plus bons à rien.

« Même plus bons à lire », a-t-elle murmuré en parcourant les rayons de la bibliothèque.

Plus bons à s'aimer, ont-ils pensé sans le dire.

Ils avaient l'habitude de regarder la télé, plutôt que d'examiner le plafond, lorsqu'ils étaient trop épuisés pour trouver le sommeil.

« Pourquoi ne pas simplement l'installer dans la chambre ? a-t-il suggéré.

– Face au lit. »

Le lendemain, ils se sont abonnés au satellite et ont réservé les services d'installateurs qui ont promis de venir aujourd'hui. Il avait son rendez-vous chez le notaire, alors elle a dit qu'elle s'organiserait pour rester à la maison.

Il vient de partir. Comme prévu, c'est elle qui ouvre aux deux hommes en combinaisons noires. Ils la saluent, s'approchent du téléviseur et l'un d'eux s'assoit sur le bel édredon aux rayures crème et lavande.

« Vous allez aimer ça ! » déclare-t-il.

L'autre acquiesce, d'un air entendu, en reluquant le lit avant de s'y écraser à son tour.

Elle les écoute grommeler comme le faisait son père lorsqu'il se réveillait à minuit, sur le canapé du salon, devant l'écran enneigé. « Maudite télé ! » s'écriait-il avant d'éteindre et de se traîner jusqu'à sa chambre. Elle pense à l'époque de sa maladie, puis de son décès...

Elle se revoit gamine, debout sur son lit, étirée tant qu'elle le pouvait pour réussir à cadrer l'écran dans l'entrebâillement de la porte. Elle variait l'image en passant de la télé à ce tableau vivant d'une famille désormais sans père. Tous les enfants, sauf elle, la plus jeune, regardaient *Rue des Pignons* dont elle connaissait par cœur la chanson de générique. Elle la fredonnait, au creux de son oreiller, quand elle ne tenait plus debout sur le matelas mou et qu'elle s'ennuyait de son papa. Elle se relevait seulement pour voir défiler des figures d'hommes allant de Maurice Milot à Simon Templar. Plus tard encore, elle se redressait pour tâcher de voir la tête de celui qui déclamait toujours, d'une voix monocorde : *Pas de femme, pas d'enfants... Partir. Loin... Très loin... Mais que faire quand la mort est au bout ?* C'est ainsi qu'elle a appris à s'endormir sur des questions existentielles et qu'elle se retrouve maintenant, près d'un grand lit, en compagnie de deux mastodontes aux regards curieux.

« C'est votre appareil principal ?

– Le seul, répond-elle. Il est un peu petit, mais...

– Comme celui que j'ai dans mon char, précise celui qu'elle croit être l'assistant du plus costaud.

– Il y a des télés dans les autos, maintenant ! s'étonne-t-elle.

– Vous n'avez pas d'enfants, vous ! » conclut-il.

Elle hoche la tête, sans tristesse ni regret.

« Pas de télé dans le char, je me demande comment on ferait avec les enfants ! s'exclame l'autre.

– On aurait mal à la tête ! » pouffe l'assistant.

Elle se lève, jette un regard aux deux hommes qui rient, installés sur son lit, les mains sales posées sur leurs rotules carrées.

Le plus gros se ressaisit, fait signe à l'autre qu'ils peuvent commencer l'installation. Pendant qu'ils font courir les fils, elle se dirige vers la pièce voisine pour y terminer la lessive. Elle sent une sorte d'excitation qui lui rappelle l'arrivée de la première télé couleur dans la maison familiale. La découverte d'acteurs à la peau très rouge, très jaune ou carrément verte. Il fallait se mettre d'accord non seulement sur le choix des films, mais aussi sur la teinte à travers laquelle on allait les visionner.

Son père malade avait toujours reporté l'achat de la télé couleur en prétendant que les appareils seraient plus perfectionnés le jour où il se déciderait. Les enfants avaient attendu, mais en ne cessant jamais de rappeler que les voisins, eux, avaient la leur. Ces pressions ne servaient à rien. « On ne se compare pas aux autres, répétait la mère aux enfants. Et puis vous ne manquez de rien. »

Encore aujourd'hui, elle ne manque de rien. La maison, les livres, la télé et, à présent, un satellite ! Pas d'enfants, bien sûr, pas de télé dans l'auto... sur la route... *Partir loin. Loin... Très loin...*

« Madame... »

Elle suit l'homme jusqu'à la chambre. À coup sûr, il s'agit du patron. S'il n'était pas si corpulent, elle finirait par lui trouver une ressemblance avec Ben Gazzara.

« Madame, regardez tout ce que vous avez ! »

Elle ne voit d'abord que la photo de son mari, sur le mur. Son sourire, ses yeux plissés sous le soleil. L'assistant appuie sur la télécommande pendant que son supérieur le rejoint, au pied du lit. Elle peut maintenant capter une multitude de chaînes.

Les deux hommes, assis sur le bout des fesses, sont devenus des écoliers en semaine de relâche. Ils vont lui montrer, c'est sûr, ils vont lui montrer tout ce qu'elle a.

Elle craint un peu, à chaque changement de chaîne, qu'apparaissent ces scènes gênantes comme celles qu'elle ne pouvait même pas se figurer lorsqu'elle était enfant. Déjà qu'elle avait assisté aux étreintes de Sylvette et Maurice Milot, dans *Rue des Pignons...* Ce n'était pas grand-chose, mais cela l'avait fait rougir le soir où sa mère l'avait autorisée à joindre ses frères et sœurs au salon. Là, maintenant, seule dans la chambre avec les deux hommes sur son lit, s'il fallait qu'elle se trouve devant une de ces images qu'elle a vues en voyage, à la télé de sa chambre d'hôtel, ces images répugnantes d'hommes et de femmes aux mouvements mécaniques, le sexe dans la bouche...

Elle respire. Tout va bien. Maman Dion cuisine tranquillement. Les hommes se lèvent. L'assistant tente de lisser l'édredon à l'endroit où ses fesses ont laissé un creux. Il jette un œil au téléviseur et puis au lit.

« Vous verrez ! lance-t-il entre ses lèvres croches.

– Et, si vous avez un problème, appelez-nous ! » ajoute l'autre.

En sortant, ils croisent le mari qui revient de chez le notaire. En garant son véhicule, il aperçoit la soucoupe accrochée sous la corniche. Il marche vers la maison, épaté. Il embrasse sa femme et, en lui caressant la joue, demande :

« Qu'est-ce que tu as ?

– Ça va. J'ai tout. »

La blessure

Chaque fois que l'enfant tourne la tête, le paysage se transforme. Rêveries ponctuées d'images qu'il attrape au vol pendant qu'elles défilent suivant la folie des roues sur les rails.

Le train ralentit, le garçon souhaiterait pouvoir effleurer la végétation douce. Une caresse pour consoler. Car il a toujours besoin de réconforter ce qui se trouve à l'horizon, qu'il s'agisse d'un champ de mousse ou de ce qui apparaît comme une carlingue étrange et lisse. Pouvoir y appliquer sa petite main. C'est la chaleur de sa paume qu'il espère dans son dos. Pour calmer la douleur. Parce qu'il y a blessure. Parce que quelque chose s'est enfoncé. En lui. Dedans comme dehors, la blessure.

Il ferme les yeux. Et quand il les rouvre, il a du mal à croire à ce qu'il voit, par la fenêtre. Ce serait admettre qu'il existe une passerelle ou un pont. Vers l'ailleurs.

L'aubergiste

Elle se déplace dans la lumière oblique de la fin du jour, sur un fond d'eau marine, son décor. De ses cheveux noués négligemment, une mèche se détache et tombe en formant une courbe élégante le long de son cou élancé. Comme dans une chorégraphie, elle décroche au passage l'édredon replié sur la corde à linge. Elle y enfouit son visage qui réapparaît aussitôt, complètement réjoui du parfum du vent qui, toute la journée, a battu le tissu sous le soleil. L'édredon d'une des chambres avec balcon. Il le reconnaît, c'est *son* édredon, celui sous lequel il a dormi la nuit dernière. Ce soir encore, ça sentira le frais.

Il fait semblant de lire, mais il observe l'aubergiste qui va et qui vient, nonchalante, avec l'édredon tout gonflé sur l'épaule. Elle passe devant son jardin d'herbes. Déjà, un menu se prépare. Elle fait tout, absolument tout, mine de rien, sans se priver de humer l'air du grand fleuve avant de passer à la cuisine et d'inventer. Quelques plats pour lui, son seul client. D'autres touristes s'ajouteront peut-être, à l'heure du repas. Elle lui a dit que certains venaient sans s'annoncer en ce temps de l'automne où il est permis d'improviser. Il l'écoutait en se demandant s'il souhaitait qu'il y ait d'autres clients, ce soir. Préférait-il se trouver seul à causer avec elle au-dessus d'une assiette fumante et d'un bon verre de rouge ou s'il ne se voyait pas plutôt profitant des murmures des autres pour laisser flotter ses pensées devant les fenêtres donnant sur le fleuve ? Il n'arrivait pas à savoir.

Pour l'instant, il se contente de suivre les allers et venues de l'aubergiste, au-dessus des pages du livre qu'il a attrapé, ce matin, dans la bibliothèque attenante à la salle à manger. Et il se demande si le mari, qu'il a croisé avec leurs enfants, au petit déjeuner, si cet homme passionné de bouquins sait aussi apprécier les beautés de sa femme. Car elle est si belle avec son sourire de voyageuse, ses yeux coquins qui en ont vu d'autres.

Il aurait pu la croiser sur les routes, il y a vingt ans. À ce moment, tous les deux avaient le sac au dos, mais ils ne se sont jamais rencontrés. Le monde est vaste. C'était avant qu'elle ait un mari, une famille et l'auberge. Et avant que lui-même ait des responsabilités, dont un poste de cadre qu'il vient de perdre, une femme qui avait déjà un enfant et qu'il ne voit plus maintenant. Ils auraient pu faire la route ensemble, lui et l'aubergiste, à une autre époque, c'est certain. Il le sait et il lui semble qu'elle aussi le devine. En Europe, en Chine ou en Inde, il aurait aimé voyager avec elle plutôt qu'avec Céleste qui savait rarement ce qu'elle voulait. Céleste avait un teint pâle, ce genre de peau fragile qui brûle au soleil, un corps malingre qui ne supportait pas les longues excursions. Il avait beau ignorer ce qui le liait à elle, il ne la quittait pas. En fait, il se rendait compte que, dans la plupart des auberges de jeunesse, ces années-là, il y avait toujours un jeune employé pour draguer Céleste, tenter de la retenir, elle qui, pourtant, avait l'air si fade. Et alors il se faisait une gloire de ne pas l'avoir perdue, de pouvoir repartir avec elle. Céleste le suivait avec une sorte de mélancolie dans le regard. Ce vague à l'âme durait quelques heures. C'est dans ces moments qu'elle lui plaisait, pendant qu'ils faisaient du stop et qu'elle fixait tristement la route.

« Vous prendriez peut-être un apéro ? » demande l'aubergiste en clignant de l'œil vers le soleil couchant.

Il examine ses mains pendant qu'elle effleure l'édredon en attendant une réponse.

« Quelle merveilleuse idée !

– Un Aventurier ? C'est un produit régional à base de baies des bois...

– Pas trop sucré ? »

Elle hoche la tête et repart en répétant : « Un Aventurier ! » Elle se déplace comme une ballerine, pense-t-il, en imaginant un tutu à la place de l'édredon qui se perd à contre-jour. Céleste avait un coffret à bijoux dans lequel une ballerine tournoyait sur l'air de *Für Elise* lorsqu'on ouvrait le couvercle. Elle avait tenu à l'apporter en voyage. C'était ridicule. Cet objet, en plus d'alourdir le sac à dos de Céleste, réveillait tout le monde, le matin, dans les dortoirs silencieux où ils avaient réussi à loger pour moins que rien, quand elle y choisissait ses boucles d'oreilles. Il se souvient encore des nombreuses fois où il s'apprêtait à placer son sac dans un porte-bagages et qu'elle hurlait : « Attention ! C'est fragile ! Le coffret à bijoux... » Elle trimballait même un fer à friser et prenait toujours un temps fou dans les douches publiques. Céleste n'était pas une voyageuse. L'aubergiste, elle, a dû être parfaite lorsqu'elle a fait le tour du monde. Il ne le lui a pas demandé, mais elle a dû faire le tour du monde. Avait-elle déjà rencontré son mari à cette époque ? C'est elle, certainement, qui devait l'entraîner vers de nouvelles destinations. Une magicienne. Encore aujourd'hui. Elle fait apparaître l'apéritif devant lui.

« Voilà ! L'Aventurier. »

Il reçoit le verre en frôlant ses doigts. Et elle repart pendant qu'il porte un toast à la mer, à la magie, au mystère des femmes et, surtout, à l'aubergiste...

Céleste ne buvait pas. Et Dieu sait qu'en voyage, les occasions de fraterniser autour d'un verre d'alcool du pays constituaient des moments privilégiés. Céleste ne profitait vraiment de rien. Sauf de l'amour, parfois, lorsqu'ils se trouvaient à l'abri des regards des autres voyageurs. Il se souvient d'un lac, en France. L'homme qui les avait pris en stop avait précisé qu'il s'agissait d'un lieu où Lamartine était venu s'inspirer. Céleste ne savait pas qui était Lamartine, mais elle avait tenu à aller voir ce lac de plus près. Ils s'étaient aventurés, tous les deux, dans une côte assez abrupte à travers des buissons épineux, avec leurs sacs. Celui de Céleste bringuebalait parce qu'il était évidemment trop lourd pour ses frêles épaules. Pendant qu'elle arquait les jambes, dans la descente, c'est lui qui avait fini par le prendre, à bout de bras, jusqu'à ce qu'ils arrivent au bord du lac. Ils s'étaient trouvés complètement seuls et Céleste s'était dévêtue. Sa peau, sans éclat lorsqu'elle était habillée, lui semblait tout à coup d'ivoire. Et sa chevelure bouclée, grâce au fer à friser, évoquait pour lui les femmes à la peau claire des peintures de Gustav Klimt, qui étaient très en vogue à l'époque. Il sourit en recréant l'image de Céleste, toute nue. Il s'était dévêtu, lui aussi, et c'est dans l'eau fraîche du lac qu'ils avaient fait l'amour.

Il pense maintenant que, tout en haut, l'homme qui les avait déposés s'était peut-être amusé à les épier. L'homme avait l'âge qu'il a, lui, aujourd'hui. Il aurait pu s'agir d'un malade duquel ils ne se seraient pas méfiés, dans leur grande naïveté. Ce lac avait-il jamais eu à voir avec Lamartine ? En tout cas, il garde encore de leurs ébats un souvenir bouleversant. Il renverse la tête, étire la dernière goutte sirupeuse de son Aventurier et dépose le verre sur le bras de sa chaise Adirondak. L'aubergiste est à la cuisine. Céleste est ailleurs. La vie passe.

Il entend claquer des portières. Certainement des clients pour ce soir... La voix des vacanciers, hors saison ou pas, est reconnaissable à cent kilomètres. Il les déteste. Ses doigts pianotent de mécontentement sur son livre.

« Je crois qu'on a de la visite ! commente l'aubergiste qu'il n'avait pas vue venir.

– Délicieux, l'Aventurier. »

Il aurait presque envie d'en commander un autre. Mais il ne va pas se mettre à boire parce qu'il vient de perdre son poste, parce que l'aubergiste est belle et qu'il a peut-être raté sa vie. Et puis, s'il a un verre à la main et que les vacanciers se joignent à lui, il voit mal comment il pourra réussir à s'éclipser. En même temps, pourquoi se priverait-il de cette petite liqueur agréable, certainement pas très alcoolisée...

« Ce n'est pas très fort en alcool, n'est-ce pas ? »

L'air absorbé, elle cherche à voir si les touristes se dirigent vers l'auberge.

« Environ vingt degrés... », répond-elle distraitement.

Elle hésite, puis se décide à aller au-devant des vacanciers. Il se demande s'il a bien fait de réserver une deuxième nuit. Il aimait avoir le fleuve à lui tout seul.

Il sort de sa poche le téléphone cellulaire éteint depuis son arrivée. Il le palpe. L'allume. Il n'a plus à téléphoner au bureau. C'est terminé, le bureau. Il retire ce numéro de la mémoire, ajoute celui de l'auberge. Il attend. Il regarde un oiseau qui vole au-dessus du fleuve, qui s'immobilise, puis se laisse tomber en chute libre jusqu'à fendre la surface de l'eau pour pêcher sa proie. Il se sent lui-même dans une sorte d'immobilité. À se laisser chuter, que peut-il advenir ?

Les vacanciers ne ressortent pas. L'aubergiste non plus. Il a rouvert le livre, mais il n'arrive plus à se concentrer. Il se demande ce qu'est devenue Céleste, après toutes ces années. Un Noël, il a reçu d'elle une carte de vœux qui ne disait pas grand-chose, sinon qu'elle vivait à New York. C'était au moment où il projetait de s'installer avec la femme et l'enfant qu'il ne voit plus. Il n'a pas répondu aux vœux, n'a jamais informé Céleste du changement d'adresse. Il ne voulait pas être dérangé dans sa nouvelle vie. Il avait tout de même noté ses coordonnées, à New York, en se disant qu'un jour, peut-être, à l'occasion d'un voyage d'affaires, il lui téléphonerait. On ne compte pas tous les possibles qu'on se réserve, sans en parler. Son téléphone ouvert est un possible. Mais il ne sonne pas.

« M'avez-vous dit que vous en preniez un autre ? vérifie l'aubergiste en s'approchant avec deux verres d'Aventurier.

– Vous avez deviné.

– J'ai décidé de vous accompagner ! lance-t-elle en riant. Mais ne vous sentez pas obligé... »

Elle dépose un verre devant lui et lève poliment le sien dans sa direction avant d'y tremper ses lèvres délicates.

« Les vacanciers ont décidé de ne pas rester, explique-t-elle. Je n'ai pas assez d'étoiles !

– Vous ? s'étonne-t-il, amusé.

– L'auberge n'a pas assez d'étoiles, précise-t-elle en rougissant légèrement. Je déteste ce système de classification.

– Ils venaient d'où ?

– De New York. »

Il suit des yeux l'auto qui s'éloigne sur la route sinueuse. Il aime penser qu'il pourrait s'agir de Céleste. Il prend une bonne gorgée d'Aventurier en scrutant le ciel dans lequel le soleil vient de disparaître complètement, avalé par le fleuve. Sans doute Céleste fait-elle partie de ces femmes qui exigent un grand confort dans les hôtels. Elle ne doit plus trimballer son

fer à friser, il doit falloir qu'on le lui fournisse ! imagine-t-il
avec un fou rire.

« Ça tape quand même, ce petit apéro, n'est-ce pas ? » lance-
t-elle avant de retourner à la cuisine.

Il feuillette machinalement son livre. Puis son carnet
d'adresses. Les coordonnées de Céleste sont bel et bien inscrites.
Peut-être ne se trouve-t-elle plus à New York, depuis le temps.
De toute façon, qu'aurait-il à lui dire ?

Des effluves peu communs proviennent déjà de la cuisine.
Le repas sera aussi savoureux que celui de la veille, cela ne fait
aucun doute. La faim commence à le tenailler. Il monte à sa
chambre. De sa fenêtre, il aperçoit l'aubergiste penchée dans
son jardin d'herbes. Il attrape un pull et redescend. Il ne lui reste
qu'à aller s'installer à la table de son choix pour continuer de
se laisser traiter aux petits soins. Il attendra la fin du repas pour
annoncer que demain, après le déjeuner, il reprendra la route.
Cette idée lui fait un léger pincement au cœur. Un serrement des
dimanches soir, quand il s'apprêtait à quitter la maison familiale
pour une longue semaine au collège. L'aubergiste a l'habitude
de voir les clients repartir. Mais lui n'est pas comme les autres.
C'est ce qu'elle prétendait, Céleste.

Sandales du soir

Axel a mal aux pieds. Elle traverse le quartier rouge pour aller rejoindre sa rue peuplée d'immigrants turcs. Le soir tombe. S'agit-il vraiment de la fin du jour ou plutôt de l'imminence d'un orage ? Un nuage de plus en plus noir s'étend sur la ville. Elle glisse la main sur ses reins, en marchant. Le mal de dos va dans le sens du soir qui tombe. Ce qui n'exclut pas l'approche d'un orage.

Des vitrines déjà éclairées de néons roses. Des fenêtres de maisons de poupées qui semblent répondre à des goûts de fillettes. Du rose, partout. Une porte s'entrouvre et un parfum de poudre pour bébés envahit le trottoir. Elle détaille l'homme cravaté qui sort en interrogeant le ciel. Un client... Ou un souteneur. Chaussures lustrées.

Les poupées ont la peau noire et le regard fixe. Axel a levé les yeux vers ceux d'une femme qui n'a pas souri, dans la vitrine. La soirée ne fait que commencer. Pourtant, un peu plus loin, les rideaux d'une autre vitrine sont déjà fermés. L'absence a quelque chose de pathétique. Axel s'est arrêtée devant les sandales blanches, à talons très hauts, laissées devant le rideau. Leur blancheur frappée d'une même lueur rose. De fines sandales du soir posées là, en signe d'un éventuel retour...

Axel les contemple. Elles ont été portées. La semelle un peu plus foncée à l'endroit des doigts de pied et du talon. Ces empreintes de sueur donnent chair à la femme absente. Curieux qu'elle se soit déchaussée avant de partir avec son client, qu'elle ait marché pieds nus avec lui qui portait sans doute de grosses chaussures vernies comme celles de l'homme qui sortait tout à l'heure... S'est-elle entré une écharde, ensuite, en empruntant un escalier étroit aux marches de bois usées ? Elle aurait sursauté, puis se serait immobilisée. L'homme l'a probablement tirée de force pour qu'elle continue d'avancer. Ou lui a pincé les fesses, excité. L'a-t-il bousculée aussi, la plaquant contre un mur ? « Doucement », aurait-elle murmuré, en espérant qu'il ne l'entende pas. Car s'il l'avait entendue, cette supplication aurait pu le vexer, le rendre plus brutal. A-t-elle tenté de le contenir ? Elle a certainement peur, très souvent. Dans ces sandales, c'est la peur qui a laissé des traces. Après tout ce qu'ils ont pu voir dans les vidéos, les hommes exigent-ils de pénétrer avec le poing ? Axel suppose que le client du soir qui tombe n'en demande pas tant, en ce moment. Elle espère qu'il se contente de gestes convenus. La fille l'a probablement sucé et il la lèche à son tour pour la pénétrer de la façon la plus banale qui soit. Pour se soulager.

Songeuse devant la vitrine, Axel se demande si les sandales n'ont pas été placées là pour la mise en scène. Plus elle les regarde, plus elles lui paraissent des chaussures de mariée. La poupée s'est-elle exposée en robe blanche, dans la vitrine rose ? Attire-t-elle des hommes romantiques et solitaires ? Axel attendra. Parce qu'elle est curieuse et que la vitrine n'est, après tout, qu'une fenêtre de maison de poupée. Bientôt, avec des yeux de fillette, elle pourra admirer une jolie mariée parfumée à la poudre pour bébés ! Elle attend. Axel est une enfant qui rêve devant un magasin de jouets. Elle n'a plus idée de l'heure qu'il est. C'est une pantoufle de vair qu'elle contemple, inlassablement.

Même immobile, Axel continue d'avoir mal aux pieds. Rester là, debout devant la vitrine, accentue l'échauffement au talon et à la pointe. Elle retire ses chaussures. Elle les tient à la main en les portant malgré elle à la hauteur de celles qui sont exposées. On pourrait croire à un geste de solidarité féminine. Mais Axel ne pense pas à ce genre de chose. La fraîcheur du trottoir, contre la plante des pieds, lui suffit. Pour l'instant. De même que de laisser son esprit vagabonder dans un univers caché derrière un rideau.

Axel se presse le matin, pourquoi se hâterait-elle le soir ? Et pourquoi avoir toujours traversé ce quartier à toute vitesse, comme si l'on avait pu la confondre, elle, plutôt boulotte, chaussée de vieilles savates, la confondre avec des poupées qui font rêver les hommes ? Dans son visage ingrat naît un sourire. Elle le voit se dessiner dans le reflet de la vitrine. Elle se voit, elle, les traits tirés, le teint aussi terne que son milieu de travail tout gris. Maintenant, elle, dans un cadre illuminé de rose...

Axel attend en se massant les reins. Pieds nus sur le trottoir, elle attend que quelque chose se produise. Et quelque chose se produit, pourtant, elle ne s'en rend pas bien compte. Il pleut à verse. Il tonne. Et elle reste là, sous l'orage, à attendre devant une vitrine rose aux rideaux fermés. Elle attend, devant une paire de sandales du soir.

Les évigures

À cette heure-ci, ce ne peut être qu'elle. Les phares de sa voiture balaient mes plates-bandes avant de s'éteindre. Elle va descendre avec sa petite valise. Bientôt, elle chialera, échappera le nom de Phil entre ses lèvres inondées et pas belles à voir, et se recroquevillera sur le canapé en refusant ma couverture angora dans laquelle elle finira par se blottir. Demain matin, elle l'aura repliée avant de disparaître. C'est qu'ils seront repartis pour la gloire, elle et Philippe.

Elle met du temps à sortir de l'auto. Elle attend je ne sais quoi, la portière ouverte. Elle hume les pivoines, prend encore tout ce que j'ai. C'est ainsi. Elle s'est enfin décidée à descendre, à marcher vers le coffre arrière, lentement, comme une vieille femme. Philippe a toujours préféré les jeunes.

Elle ouvre le coffre et soulève difficilement sa valise plus grosse, vraiment plus grosse qu'à l'accoutumée. Mon horaire des prochains jours vient de s'effacer complètement de ma mémoire. Qu'est-ce que je vais lui dire pour ne pas qu'elle m'accapare ? Cette fois-ci, je le crains, c'est un cas de chambre d'amis. Si je la lui offre, j'en aurai pour des semaines... Est-elle seulement une amie ?

« Je ne savais plus de quoi il causait », souffle-t-elle sur le seuil en déposant son bagage encombrant.

A-t-elle parlé pour moi ou uniquement pour elle ? De quoi il cause, Philippe, quelqu'un l'a-t-il déjà su...

« Je peux ? demande-t-elle avant de passer à la salle de bains.

– Bien sûr », je réponds, en ajoutant pour moi-même un « vas-y, tant qu'à faire ».

J'entends couler l'eau. Longtemps, l'eau qui coule. Elle doit éponger ses yeux rougis, c'est ce que je me dis en allumant une cigarette, en regardant l'heure et en me rappelant que j'ai réunion demain après-midi. Je comptais sur la matinée pour revoir le dossier. Comment ai-je pu oublier cela, ne serait-ce qu'une fraction de seconde ? Quand madame débarque...

Elle sort. Le visage défait, plus que d'habitude. Je lui offre un café. Elle hésite avant d'accepter, et ce n'est pas par politesse. Jamais. Elle se demande peut-être si, de toute façon, elle réussira à dormir. J'en prépare deux. Cette fois, nous ne dormirons pas. Ni l'une ni l'autre. Parce que, cette fois, c'est la vraie. Philippe et elle... terminé. C'est évident. Cette détermination dans le regard. Et puis, elle a raison, cela ne pouvait plus durer pour elle. Pour lui. Pour moi non plus, tiens.

« Tiens », je dis, en plaquant sa tasse sur la table de verre.

Mon geste était brusque, sans aucun doute, assez pour qu'elle sursaute, lève la tête vers moi.

« Tu es furieuse aussi... déduit-elle. Quel homme infernal, vraiment. »

Je fais signe que oui, Philippe est infernal. Elle m'interroge en silence. Comment le sais-je ? Mais tout le monde le sait, pauvre idiote ! Ton petit Philippe, tu ne te rends pas compte.

« Tous ses discours... marmonne-t-elle avant de se brûler les lèvres avec la première gorgée de café. Rien que des mots ! »

Je dis « Ah ! » en haussant les épaules. Philippe et les mots. Innocente.

Elle me scrute en soufflant au-dessus de sa tasse fumante. Ses yeux ne me quittent plus. Elle constate que je n'ai pas pitié d'elle. Pour la première fois, on dirait qu'elle peut lire en moi. Je bois et me brûle aussi.

« Il t'a aimée, lâche-t-elle.

– Je n'ai jamais donné suite.

– Pourquoi ?

– Les mots... »

C'est le moment. Je savais que le jour viendrait où je pourrais oser demander à quelqu'un. Quelqu'un qui saurait. Il n'y a qu'elle.

« Évigures, je lance. Qu'est-ce qu'il voulait dire par *évigures* ?

– Évigures... », marmonne-t-elle en buvant.

Elle fait du bruit quand elle boit. Quand elle mange aussi, je me souviens. Cela doit terriblement énerver Philippe quand il cherche. Elle prend son temps. Ses yeux se posent sur la cafetière, puis sur le robot, les ustensiles suspendus et, enfin, sur les cartes postales collées sur le frigo.

« Évigures ! je crie en ayant envie de la secouer.

– Est-ce que je sais, moi !

– Oui, tu sais sûrement ce qu'il entendait par évigures...

– Il me faut le contexte. »

Salope. C'est le contexte qui t'intéresse. Si je me lève, si je marche jusqu'à ma chambre, si je me dirige vers la vieille armoire et en sors le coffret de cèdre, si je l'ouvre sans être en plein déménagement, c'est que c'est le moment.

J'attrape la lettre. Mon nom, mon adresse de jeune fille qui figurent sur l'enveloppe. Le contexte, le contexte... Elle n'a besoin que d'une phrase. Je plie la feuille comme pour jouer au cadavre exquis. Je la rejoins à la cuisine. Ses yeux brillent de curiosité. Je pointe :

« Évigures, là. ... *comprendre toutes ces évigures qui nous entourent avant de pouvoir vivre donnéreusement.*

– Où est-ce que tu vois ça ? Ici ? Évigures ?... »

Les commissures de ses lèvres, qui pointaient vers le bas depuis son arrivée, semblent remonter légèrement. Ma foi, elle sourit.

« Cela t'amuse ?

– Non, assure-t-elle. Seulement, ce n'est pas un *v*, c'est plutôt un *n*. Et puis là, ce n'est pas un *u* avec un *r*, c'est un *m*. Énigmes ! »

Je lui arrache la feuille et je lis. Elle a raison. La vache, elle a raison. Énigmes... *comprendre toutes ces énigmes qui nous entourent avant de pouvoir vivre donnéreusement.* J'ai porté malgré moi la lettre à ma poitrine. Elle m'a vue. Elle renverse la tête et avale son café d'un seul trait.

« Mais... *vivre donnéreusement,* s'enquiert-elle d'une voix enrouée, cela ne te posait pas problème ?

– Pas du tout. »

Elle dépose lentement sa tasse vide sur la table. Se lève. Sans me regarder, elle avance vers son immense valise, la soulève et sort. Je marche derrière elle qui s'impatiente avec le bagage bringuebalant sur les marches.

« Vivre donnéreusement... répète-t-elle. Je n'ai pas su. »

Elle s'approche de l'auto, s'arrête près du coffre. Sa silhouette immobile dans l'obscurité.

« Je l'ai tué », avoue-t-elle.

La faille

Il ouvre la portière, attend qu'apparaisse un pied sur l'asphalte. Voilà. Une de ces chaussures blanches attachées au velcro. Le deuxième pied vient rejoindre l'autre, massif. Finalement, la main fanée s'accroche au cadre de l'auto. Il faut ce qu'il faut pour qu'elle réussisse à soulever son pauvre corps usé. Son bras tout plissé, bleui par endroits, taché de brun ici et là, son bras qui force. La peau trop grande, on dirait, qui pend comme un vieux sac autour des os.

Il observe. Sa mère qui bouge, qui soupire avant de s'esclaffer pour ne pas pleurer à cause du triste spectacle qu'elle lui offre en sortant ainsi son corps boudin de la voiture de location.

Ils ne se rencontrent pas souvent, pas assez pour qu'il ait pris l'habitude de la voir si lente. Elle apprivoise elle-même la lenteur, chaque jour, secrètement. Elle se rend bien compte du temps qu'elle met rien qu'à terminer sa toilette, rien qu'à faire son lit. Elle constate, toute seule dans son trois-pièces, elle mesure le temps consacré à ces moindres gestes pourtant répétés pendant toute une vie, sans qu'elle ait eu à y penser. Et quand le téléphone sonne, elle fait glisser ses pantoufles un peu plus vite sur le parquet parce que ce ne peut être que lui, son fils unique. Elle s'empresse de l'informer du temps qu'il fera, ce dimanche, juste au cas où il voudrait lui rendre visite. Malgré le soleil annoncé, il remet à plus tard et elle comprend. Elle comprend si bien que c'est elle qui explique à ses voisins et voisines de la Résidence à quel point, de nos jours, les enfants sont occupés. « Le travail est au centre de leur vie », a-t-elle échappé, un après-midi, dans la balançoire de bois qui oscillait faiblement, pilotée par les grosses chaussures orthopédiques des quelques résidants amis.

Il se penche, lui tend le bras. Elle l'attrape et se redresse aussitôt, le plus fièrement du monde. En riant, elle tapote la manche du veston marine, elle tapote et cela énerve le fils. Ce tapotement parce qu'on n'a pas appris à se toucher.

Ensemble ils marchent. Elle presse le pas tandis qu'il ralentit, comme il le fait de temps en temps, plié en deux, lorsqu'il agrippe le bras potelé de son petit Olivier pour l'accompagner dans ses premiers pas, dans sa hâte d'aller découvrir le monde. Il ne le voit plus qu'une fois par mois. Comme sa plus vieille. Jamais seul. Sa mère lui demandera encore de sortir une photo, elle voudra savoir sans trop poser de questions. Elle cachera mal son jeu. Elle prendra un air de femme ouverte, respectueuse du choix des autres. Comme s'il avait pu choisir.

« Bien sûr que l'on choisit tout ! » Il aurait choisi de se faire larguer avant la naissance d'Olivier, au moment où il avait le plus besoin d'être entouré. Il aurait choisi, après sa libération, de repartir à zéro, professionnellement. De gagner la pension alimentaire d'une fausse blonde monoparentale dans un condo climatisé. Il l'avait choisie, elle, c'est vrai. Elle, et plus encore. La faille ? Choisit-on la petite faille dans sa vie ?

Ils marchent, lui et sa mère, de leurs pas désaccordés. La vieille s'arrête pour montrer du doigt, enfant muette, montrer un piquet de clôture, un brin d'herbe, un panneau de stationnement, n'importe quoi afin de reprendre son souffle. Et il la tire un peu, comme on tire une laisse. Non pas parce qu'il est pressé ou méchant, mais parce qu'il refuse de faire semblant, à sa manière à elle. Faire semblant de s'intéresser aux choses les plus anodines plutôt que de dire : « Pardon, j'ai besoin de reprendre mon souffle... » Il tire et la mère suit, tant bien que mal.

« Oh... », a-t-elle échappé. Il se retourne, juste au cas où elle aurait décidé d'avouer l'essoufflement, l'âge, le temps qui passe. Mais elle se ravise et sourit comme si tout allait pour le mieux. Alors il tire encore, plus brutalement cette fois. Et la vieille serre les lèvres en se faisant violence.

L'escalier qui mène à la maison noire évoque l'accès aux pyramides les plus abruptes du monde. Elle, ses deux pieds qui se rejoignent sur chaque marche. Lui, qui regarde droit devant, refusant de lire le nom qui apparaît en lettres blanches sur l'écriteau noir, vitré, près de la grande porte.

Ils entrent. Des revenants, vêtus de couleurs sombres, le scrutent longuement avant de le reconnaître, puis de se décider à venir à sa rencontre. Certains demeurent immobiles, l'air déterminé à ne pas s'approcher de lui. Elle s'est détachée, fonçant à l'intérieur comme un petit robot détraqué avec ses gros pieds blancs. Elle recoiffe d'une main tremblante ses cheveux gris-bleu. Lui, recentre son veston marine avant de tendre une paume un peu moite à des cousines qu'il avait depuis longtemps oubliées. Il n'écoute pas ce qu'elles racontent, il cherche plutôt à identifier ce parfum douteux qui se mêle à ceux de ces femmes attristées. Il tâche d'éviter le cercueil devant lequel sa mère s'agenouille déjà, les yeux mouillés. Les gens s'attroupent autour d'elle pour la réconforter. Serait-ce qu'on le sous-estime ? Il ne saurait pas, lui, réconforter sa mère. Avec tout ce que l'on sait. Tout ce que l'on a su de lui, à travers les journaux, sur sa faille à lui, une petite faille que l'on ne soupçonnait pas et qui est pourtant apparue, le temps d'un geste... Irrémédiable.

La mère a sorti un papier-mouchoir. Ou quelqu'un lui en a tendu un. En tout cas elle s'éponge les joues. Puis elle se mouche. Les autres font leur signe de croix. La mère enfonce le mouchoir dans une poche de sa jupe. La seule qu'elle avait d'assez foncée en cette saison. Et elle se signe elle aussi. Ses lèvres fanées commencent à s'agiter au rythme des prières qu'elle sait par cœur et que lui n'a pas entendues depuis plusieurs vies. Il s'étonne. Se souvenir encore de cette succession de phrases qui ne sauraient se passer les unes des autres. Il se prend à marmonner malgré lui cette litanie surannée, à la fois étrange et familière. Il s'agirait d'un repère. Il est fasciné par le mouvement des lèvres de sa mère, par ce débit saccadé aux accents toniques curieusement déplacés. Enfant, par mimétisme, il apprenait d'elle cette façon de réciter sur un ton ferme, plein de détermination, de résignation. La dernière fois qu'il l'a vue prier, elle était presque cachée au fond de la salle d'audience. À la cour, la prière était vaine. Il le savait. Il connaissait la faille.

Tante Éloïse... Les journaux avaient aussi révélé un drame, la concernant, lorsqu'il était encore tout jeune. Il se souvient d'elle, qui avait commencé à se tenir à l'écart des autres, comme un petit animal affligé d'une maladie. Encore à présent, elle est assise, seule sur la banquette, tandis que les autres sont debout, collés aux gens de leur espèce. Beaucoup plus âgée que sa mère, elle porte des escarpins. Il la trouve élégante, comme au temps où elle chantait lors des fêtes familiales. C'était avant l'histoire dans les journaux. Il se remémore la sensation des perles rondes sous ses petits doigts d'enfant. Est-ce le même collier qu'elle porte aujourd'hui ? Dommage qu'elle se soit tartiné les lèvres de rouge et saupoudré les pommettes de ce rose surnaturel.

Trop de noir aussi, sur les paupières. La tenue vestimentaire est impeccable, par contre. Les traces d'une faille se dessinent-elles sur les visages ? Il se lisse le front, se palpe le creux des joues, tandis qu'il avance vers elle.

« Tante Éloïse... »

Le sourire rouge s'étend sur le visage ridé de la tante. Elle se lève. Elle ne priait pas, elle peut donc parler avec lui pendant que les autres continuent de réciter des *Je vous salue Marie*.

« Je vous salue, Éloïse », murmure-t-il en lui baisant la main.

Les yeux d'Éloïse se mouillent. Il voit le noir couler, s'insinuer dans les crevasses courbées des pattes d'oie.

« Comment vas-tu ?... J'ai de tes nouvelles par ta mère, de temps en temps.

– Et par les journaux, je suppose... »

Eloïse hausse les épaules. C'est un mouvement étrange avec les larges épaulettes rigides sous sa robe au tissu soyeux. Il lui tend le bras :

« Partons ! »

Elle a un moment d'hésitation.

« Et ta mère ?...

– Elle est bien entourée.

– Où veux-tu donc aller ? demande-t-elle, incrédule et enjouée.

– Il doit bien y avoir un fumoir.

– Oui... En bas. »

Elle semble déçue.

« J'espérais que tu m'emmènes au bout du monde ! » avoue-t-elle en lui lançant un clin d'œil mouillé.

Il rit. Il y a un frémissement de foule autour du cercueil.

« Chut ! » fait un homme voûté qui laisse entrevoir son visage de *pitbull*.

Et naît le souvenir d'un oncle alcoolique qu'il n'a pas vu très souvent. On a déjà prétendu qu'il avait fait un enfant à une Hollandaise alors qu'il était dans l'armée.

La tante Éloïse ne paraît pas très agile sur ses escarpins. Mais ils atteignent finalement le sous-sol, puis se dirigent vers les cendriers sur pied, tachés de doigts gras. Il ouvre son paquet de cigarettes et le lui tend. Elle en saisit une qu'elle allume aussitôt en faisant claquer son briquet doré qui sent l'essence. Vivent-ils à la même époque ?

Elle a quelque chose de vulgaire. Plus il la regarde, plus il estime qu'elle manque de classe, surtout lorsqu'elle déclare, en même temps qu'elle exhale la fumée :

« Les journaux, on s'en fout ! »

Et ce rire gras dans lequel elle s'étouffe. Elle tousse, d'une toux de fumeuse qui aurait commencé en cachette, à l'âge de douze ans. C'est peut-être le cas.

« Quel âge avais-tu, tante Éloïse ?

– ... Lorsque c'est arrivé, cette histoire que tu avais lue dans les journaux ?

– Non, non... Quel âge avais-tu quand tu as commencé à fumer ?

– Ah ! C'était longtemps avant ! Quel âge je pouvais bien avoir... En tout cas, ça ne m'a jamais empêchée de chanter. »

L'homme au visage de *pitbull* apparaît, avec un cigare. Elle lui lance :

« Ce n'est pas un baptême, Armand, c'est un enterrement ! »

Il s'agit bien de lui, l'oncle alcoolique qui aurait un enfant en Hollande. Le cigare entre les dents, il offre un curieux sourire à Éloïse.

« Armand, poursuit-elle, le neveu me demande à quel âge j'ai commencé à fumer ! Tu dois le savoir, toi.

– C'était longtemps avant que tu fasses tes folies...

– C'est bien ça que je lui ai dit.

– ... et avant qu'il fasse les siennes ! » ajoute l'oncle en toisant son neveu.

Il écrase le gros cigare et tourne les talons. Éloïse chuchote :

« De toute façon, lui aussi a fait des folies. Mais ce n'était pas écrit dans les journaux.

– La Hollandaise ?

– Il a fait bien pire ! Tu savais cela, toi, pour la Hollande... Tout finit bien par se savoir. »

La tante Éloïse s'est tue. Lui aussi. Un silence épais flotte avec la fumée. On entend la rumeur des prières, en haut.

« Trouves-tu que ça sentait les fleurs, toi, ou si ça ne sentait pas le mort ?

– En tout cas, ici, ça sent le cigare.

– Viens, on va remonter ! » décide-t-elle.

Elle se soulève avec difficulté, se secoue un peu avant de reprendre l'équilibre sur ses escarpins. Elle lui fait signe de passer devant, sans doute pour éviter qu'il la voie vaciller sur ses vieilles jambes. Il hésite, puis il devine l'astuce et amorce le premier la montée de l'escalier. Il se prend à compter les brûlures de cigarettes sur le tapis qui recouvre les marches.

Ils atteignent la petite salle encombrée de couronnes, juste au moment où retentit un *Amen* très chargé. La mère se relève, aidée d'une nièce et d'une belle-sœur. De ses yeux rougis, elle cherche son fils. Elle le repère vite, ne voit que lui en allongeant le bras comme une somnambule vers ce veston marine déjà froissé. Au moment où elle l'empoigne, le fils se tourne vers sa tante :

« Le mort, Éloïse. Ça sent le mort. »

Nécessité

« **M**a psy est morte », j'ai répété. C'était comme si j'avais perdu ma mère, encore une fois. Comme quand j'ai brûlé, avec la maison de mes sœurs, en faisant flamber les billets de banque... J'ai pensé que j'étais mieux de rester à la maison. Ma maison de maintenant, adaptée. Puis je me suis ravisée. J'ai imaginé comment elle aurait réagi, ma psy, si elle m'avait vue hésiter à me rendre à ce souper. Elle aurait dit : « Clémence, ce sont des gens comme vous, de quoi avez-vous peur ? » Alors je me suis dirigée vers le restaurant de pierres grises, sous la pluie. J'avais une boule dans la gorge parce que ma psy était morte, mais je venais tout de même d'être dispensée d'une visite à son bureau, et donc d'épargner un peu d'argent. Et il fallait bien que j'économise si je voulais me payer l'avion.

Alors j'ai rejoint ce petit groupe qui préparait un voyage à Lausanne. Ils ne m'ont pas posé de questions, c'était bien, je trouvais. Je n'avais pas besoin de dire que j'avais eu des sœurs, une mère morte, la psy qui venait de s'éteindre... Si certains d'entre eux avaient entrepris de me questionner, de toute façon, cela aurait été trop laborieux.

Le restaurateur nous avait placés à une grande table, un peu à l'écart des autres, sans doute à cause de ceux, parmi nous, qui éprouvaient des difficultés d'élocution. Parce qu'ils avaient l'air débile en maîtrisant mal la force de leur voix. Cela peut être gênant dans un restaurant. Ici, bien sûr, mais en Europe également, maintenant je le sais. Pourtant c'est grâce à eux, précisément parce qu'ils n'avaient pas eu la capacité de me bombarder de questions, c'est grâce à eux si je suis restée ce soir-là et, ensuite, si je suis partie avec tout le groupe à Lausanne. Je n'ai jamais regretté. C'étaient des gens comme moi, de quoi aurais-je eu peur ?

Le choc, ce n'était pas « ma psy est morte ». Le choc, c'était l'œuvre de Clément Fraisse.

L'organisatrice nous avait présenté l'itinéraire, annonçant qu'il y aurait aussi une petite sortie, un peu à l'écart de Lausanne. « Une petite sortie », elle avait dit, parce qu'il s'agissait d'un musée d'art brut. Mais c'était important. Surtout le lambris de Clément, c'était important. Emprisonné dans une cellule étroite et obscure, il avait utilisé le manche de sa cuillère pour sculpter secrètement toute la surface de ses murs en bois. Je les avais devant moi, les cloisons arrachées, et je pensais aux fois où les gardiens avaient dû aller fouiner, lui confisquant son ustensile, je pensais à mes sœurs curieuses qui avaient fouillé ma chambre en espérant trouver les billets de banque. Je comprenais Clément Fraisse, démuni, puis obligé de se fabriquer un autre outil. Il avait arraché l'anse de son pot de chambre pour sculpter encore, sculpter toujours, les murs de sa cellule. Parce que c'était nécessaire, pour lui, de les couvrir, de graver ces minuscules images que je ne me lassais pas d'examiner. C'était varié. Les images, mais aussi la façon dont elles avaient été tailladées. Tantôt violemment. Tantôt plus doucement. Je comprenais cela. Ces hachures dans le bois qui avaient donné de drôles de personnages contenus, emprisonnés à leur tour dans de petites cellules rectangulaires... Ou étaient-ce des bêtes avec des difficultés d'élocution ?

Le choc, c'était donc le lambris de Clément. Je restais là, sans bouger, devant l'œuvre, quand quelqu'un s'est détaché de l'attroupement, un peu plus loin. C'était celui qui a toujours besoin d'une paille pour réussir à boire. Maladroitement, il a tiré la manche de l'organisatrice qui est tout de suite venue, avec l'air de tout comprendre. Elle a passé son bras autour de mes épaules et a commencé à dire ce qu'elle voyait sur le lambris. Un renard assis. Puis un écureuil. « Là, on dirait des chèvres ! » a-t-elle risqué. Pour moi, cela n'avait pas beaucoup d'importance, elle s'en est rendu compte. En identifiant ainsi ce qu'elle voyait, elle me faisait penser à ces gens qui ne peuvent marcher dans la campagne sans s'empêcher de nommer chaque fleur, chaque oiseau, sans arrêt. C'est pour cela que j'aurais pu avoir peur de me joindre à un groupe. À cause du fait qu'en général les groupes ne tolèrent pas le silence. Mais là, ce n'était pas eux qui me gênaient. Ils étaient comme moi, de quoi aurais-je eu peur ? C'était l'organisatrice qui me dérangeait. Dès le premier soir, au souper, c'était seulement elle. Elle ressemblait à mes sœurs. Quand l'un de ceux qui éprouvaient des difficultés d'élocution avait demandé une paille au serveur, elle avait osé dire : « Chacun de nous a ses petits caprices ! » en ricanant toute seule, nerveusement. Mais ce n'était pas un caprice. Et rester là, devant le lambris de Clément Fraisse, n'en était pas un non plus. Elle a bien vu, finalement. Elle a même cherché un responsable, dans le musée. Un jeune homme qui m'a donné toute la documentation qu'il possédait sur ce Clément Fraisse. J'ai pu partir, grâce à lui et à la documentation. J'ai su que Clément Fraisse avait fini par sortir de l'institution où il avait été enfermé pendant deux ans. Ça, c'est bien ! Mais alors j'ai appris qu'il n'avait plus jamais sculpté...

Je ne me doutais pas que l'on pouvait cesser complètement quelque chose qui avait été aussi nécessaire. Dans le bus, au retour, j'ai lu aussi que, lorsqu'on lui avait demandé pourquoi il avait eu cette idée de sculpter les murs, il avait répondu : « Pour faire quelque chose. » Ça alors ! je me suis dit. Et j'ai jeté un œil à l'organisatrice qui enroulait et déroulait sans arrêt la lanière de cuir de son sac à main, pour faire quelque chose, pendant que nous nous dirigions vers l'hôtel.

« Ma psy est morte », je lui ai soufflé.

Elle a continué de regarder le paysage à la fenêtre, comme une idiote. Elle ne voulait rien manquer de la Suisse. Après avoir vu le musée d'art brut, moi, j'avais tout vu. Les montagnes, on pouvait s'y attendre. Mais le lambris de Clément Fraisse, qui aurait pu imaginer ?

« Votre psy... », a-t-elle murmuré sans détourner la tête.

On aurait dit que, pour elle, il y avait quelque chose de honteux à avoir une psy.

« Ce n'est pas ça, le choc, j'ai précisé.

– Bien sûr que non ! » a-t-elle décrété en ramenant la courroie de son sac sur son épaule.

Alors elle s'est levée au milieu du bus en mouvement et, en s'adressant à tout le groupe, elle a lancé :

« Et si nous chantions un peu ? »

Aussitôt, tous ceux qui ont des difficultés d'élocution se sont mis à beugler dans tous les sens. Je me suis bouché les oreilles. Je ne pouvais plus les entendre. J'avais l'impression d'être prisonnière de ce bus comme de la maison enflammée. Je me suis dit qu'il fallait faire quelque chose. Et j'ai pensé à Clément.

Je n'ai jamais regretté ce voyage. J'ai compris qu'on pouvait se passer de ce qui avait déjà été nécessaire. J'ai su que je pouvais me passer de ma psy, comme de mes sœurs et de ma mère. Et, surtout, de l'organisatrice. Je m'étais vue plusieurs fois l'étrangler avec la courroie de son sac à main. Mais j'ai sorti le canif rouge que je venais d'acheter. Sur le rebord de la fenêtre du bus, j'ai dessiné des lassos.

L'auteure souhaite remercier :

Le Conseil des arts et des lettres du Québec pour son soutien à la création du présent recueil ;
Monsieur Vincent Monod, du Musée de l'art brut de Lausanne, pour la monographie de Clément Fraisse ayant servi à l'écriture de « Nécessité » ;
Les amis discrets au moment de l'écriture et présents quand il le faut : Luce, Louise, Bianca, Véronique, Yves et Robert.

Les nouvelles suivantes ont déjà été publiées dans des versions parfois différentes :

« L'heure du thé », dans *Moebius*, n° 90, (sous le titre « L'idée ») et dans *Étoiles d'Encre,* n°s 5-6 (France-Algérie), adaptée au théâtre par l'Atelier Théâtr'elles dans le spectacle *Clara, Leïla et Aurora* pésenté à l'espace La Jetée (Montpellier, France), 2001 ; « Combien la nuit », dans *Jet d'encre,* n° 1, 2002 ; « Invitée », dans *Arcade,* n° 54, 2002 ; « La perfection », dans *Arcade,* n° 50, 2000 ; « Je crie je t'aime », dans *Magazine du Réseau C.J.*, vol. 2, n° 2, 2002 ; « Voici avril », dans le collectif *Lignes de métro*, sous la direction de Danielle Fournier et Simone Sauren, l'Hexagone/ VLB, 2002 ; « Satellite autour d'un grand lit », dans le collectif *Une enfance en noir et blanc*, sous la direction de Raymond Plante, Les 400 coups, 2002 ; « La blessure », pour l'exposition *Invitation au voyage*, sous la direction de Liette Gauthier, Joanne Germain et Louise Matte, à partir d'une œuvre de Randall Finnerty exposée à la Maison de la culture Frontenac, Montréal, 2002 ; « Les évigures », dans le collectif *Les travaux de Philocrate Bé, découvreur de mots,* L'instant même/Musée de la civilisation, 2000 ; « Nécessité », dans *Arcade,* n° 59, 2003.

Recueils de nouvelles parus chez le même éditeur

Parcours improbables de Bertrand Bergeron
Ni le lieu ni l'heure de Gilles Pellerin
Mourir comme un chat de Claude-Emmanuelle Yance
Nouvelles de la francophonie de l'Atelier imaginaire
    (en coédition avec l'Âge d'Homme)
L'araignée du silence de Louis Jolicœur
Maisons pour touristes de Bertrand Bergeron
L'air libre de Jean-Paul Beaumier
La chambre à mourir de Maurice Henrie
Circuit fermé de Michel Dufour
En une ville ouverte, collectif franco-québécois
    (en coédition avec l'Atelier du Gué et l'OFQJ)
Silences de Jean Pierre Girard
Les virages d'Émir de Louis Jolicœur
Mémoires du demi-jour de Roland Bourneuf
Transits de Bertrand Bergeron
Principe d'extorsion de Gilles Pellerin
Petites lâchetés de Jean-Paul Beaumier
Autour des gares de Hugues Corriveau
La lune chauve de Jean-Pierre Cannet (en coédition avec l'Aube)
Passé la frontière de Michel Dufour
Le lever du corps de Jean Pelchat
Espaces à occuper de Jean Pierre Girard
Bris de guerre de Jean-Pierre Cannet et Benoist Demoriane
    (en coédition avec Dumerchez)
Je reviens avec la nuit de Gilles Pellerin
Nécessaires de Sylvaine Tremblay
Tu attends la neige, Léonard ? de Pierre Yergeau
Détails de Claudine Potvin
La déconvenue de Louise Cotnoir
Visa pour le réel de Bertrand Bergeron
Meurtres à Québec, collectif
Légendes en attente de Vincent Engel
Nouvelles mexicaines d'aujourd'hui, traduites de l'espagnol et présentées
    par Louis Jolicœur

L'année nouvelle, collectif (en coédition avec Canevas, Les Éperonniers et Phi)

Léchées, timbrées de Jean Pierre Girard

La vie passe comme une étoile filante : faites un vœu de Diane-Monique Daviau

L'œil de verre de Sylvie Massicotte

Chronique des veilleurs de Roland Bourneuf

Gueules d'orage de Jean-Pierre Cannet et Ralph Louzon (en coédition avec Marval)

Courants dangereux de Hugues Corriveau

Le récit de voyage en Nouvelle-France de l'abbé peintre Hugues Pommier de Douglas Glover (traduit de l'anglais par Daniel Poliquin)

L'attrait de Pierre Ouellet

Cet héritage au goût de sel de Alistair MacLeod (traduit de l'anglais par Florence Bernard)

L'alcool froid de Danielle Dussault

Ce qu'il faut de vérité de Guy Cloutier

Saisir l'absence de Louis Jolicœur

Récits de Médilhault de Anne Legault

Аэлита/Aélita de Olga Boutenko (édition bilingue russe-français)

La vie malgré tout de Vincent Engel

Théâtre de revenants de Steven Heighton (traduit de l'anglais par Christine Klein-Lataud)

N'arrêtez pas la musique ! de Michel Dufour

Et autres histoires d'amour... de Suzanne Lantagne

Les hirondelles font le printemps de Alistair MacLeod (traduit de l'anglais par Florence Bernard)

Helden/Héros de Wilhelm Schwarz (édition bilingue allemand-français)

Voyages et autres déplacements de Sylvie Massicotte

Femmes d'influence de Bonnie Burnard

Insulaires de Christiane Lahaie

On ne sait jamais de Isabel Huggan (traduit de l'anglais par Christine Klein-Lataud)

Attention, tu dors debout de Hugues Corriveau

Ça n'a jamais été toi de Danielle Dussault

Verre de tempête de Jane Urquhart (traduit de l'anglais
    par Nicole Côté)
Solistes de Hans-Jürgen Greif
Haïr ? de Jean Pierre Girard
Trotski de Matt Cohen (traduit de l'anglais par Daniel Poliquin)
L'assassiné de l'intérieur de Jean-Jacques Pelletier
Regards et dérives de Réal Ouellet
Traversées, collectif belgo-québécois (en coédition
    avec les Éperonniers)
Revers de Marie-Pascale Huglo
La rose de l'Érèbe de Steven Heighton (traduit de l'anglais
    par Christine Klein-Lataud)
Déclarations, collectif belgo-québécois (en coédition
    avec les Éperonniers)
Dis-moi quelque chose de Jean-Paul Beaumier
Circonstances particulières, collectif
La guerre est quotidienne de Vincent Engel (en coédition
    avec Quorum)
Toute la vie de Claire Martin
Le ramasseur de souffle de Hugues Corriveau
Mon père, la nuit de Lori Saint-Martin
Tout à l'ego de Tonino Benacquista
Du virtuel à la romance de Pierre Yergeau
Cette allée inconnue de Marc Rochette
Tôt ou tard, collectif belgo-québécois (en coédition
    avec les Éperonniers)
Le traversier de Roland Bourneuf
Le cri des coquillages de Sylvie Massicotte
L'encyclopédie du petit cercle de Nicolas Dickner
Métamorphoses, collectif belgo-québécois (en coédition
    avec les Éperonniers)
*Les travaux de Philocrate Bé, découvreur de mots,
    suivis d'une biographie d'icelui*, collectif
Des causes perdues de Guy Cloutier
La marche de Suzanne Lantagne
Ni sols ni ciels de Pascale Quiviger